JN084544

探究型アプローチの大学教育実践

早大生が「複言語で育つ子ども」を考える授業

川上郁雄

＋

12名の早稲田大学学部生

Kurosio

くろしお出版

はじめに

　近年のスポーツ界では多様なアスリートが活躍しています。八村塁さん（米国バスケットボール選手）、大坂なおみさん（テニス選手）、サニブラウン・アブデル・ハキームさん（陸上選手）などがその例です。「ONE TEAM」が流行語となった日本ラグビーの選手たちの多様性も、新しい時代を予感させるものとして、記憶に新しいところです。

　このように多様な背景を持つ若者たちが活躍する背景に何があるのでしょうか。その一つが、人の移動です。多くの人々が国境を越えて移動し、出会い、家族を作り、生活しています。その結果として、多様な背景を持つ子どもたちが生まれているのです。それは、日本だけではなく、グローバルな現象となっています。

　世界経済のグローバル化と高度な情報化を支えるテクノロジーの発達は、過去30年間で、世界の人々の生活環境を大きく変化させてきました。日本は、それに加え、人口減少や高齢化により、社会を支える新しい人材の確保が社会的課題となっています。

　このような社会状況の急激な変化は、21世紀の人材育成という新たな教育的課題を世界各国に突きつけています。つまり、それまでの教育のあり方が問い直される動きが世界各地で出ているのです。その背景に、新しい社会状況の変化に人々はますます対応できなくなるのではないかという危機意識があります。その結果、新しい社会状況に対応できる新しい人材育成の教育とは何かが議論され、そしてその実践が模索されているのです。

　日本でも、小学校から大学までの教育を、時代に合わせて変革し、新たな教育を目指そうとする動きがあります。たとえば、大学入試改革（文部科学省は2019年末に「大学入学共通テスト」での「記述式問題」導入の見送りや英語民間試験導入の見送りなどを決定しました）は、新しい人材育成のための大学教育を目指した試みだったかもしれませんが、入試を改革すれば、高校までの教育も大学の教育も変わると考えるのは、早計な目論見と言えるでしょう。

　今、世界各地で求められているのは、社会状況の急激な変化の中で、何が

正しい情報かを見極める判断力や、深く考える思考力、多様な要素を総合的にまとめ表現する力などです。また、そのような力を育成する方法が模索されています。一人で学ぶだけではなく、他者と対話をすることによって学び合うという教育実践も、その一つです。

　本書は、以上のような問題意識から行われた探究型アプローチによる大学教育実践の記録です。幼少期より複数言語に触れながら成長する子どものうち、「日本語を学ぶ／複言語で育つ」子どもをテーマに、学生たちが課題を解き、意見交流を重ね、自分の考えを深め、まとめ、発表することを行った半年間の授業実践の記録です。

　教員が大教室でマイクを持って一方的に学説や自分の研究成果を語る講義形式の大学教育は、古い方法論としてすでに役目を終えたように見えます。本実践は、そのような古い方法論とはまったく異なります。本書は、どのような素材と問いから学生が主体的に考え、意見交流を行い、自分の考えを深めていくのか、そのプロセスを追いながら、学生の意見をふんだんに提示することで、新たな授業づくりのヒントを提示することを目的とします。

　第1部では、大学が今、置かれている状況を解説し、大学でどのような教育実践が求められているかを考え、その上で本実践の概要を説明します。

　第2部では、上記のテーマで行われた授業実践のプロセスの詳細を述べます。その中で、学生が毎回何を考えたのか、また、実践者の私が何を考察したかを詳細に述べていきます。さらに、学生が深く考え、まとめたレポートを学生の主体的な学びの例として提示します。

　第3部では、以上の大学教育実践はどのような意味があるのか、およびその実践について理論的考察を行い、最後に今後の課題を提示しました。実践とともにご覧いただければ幸いです。

目　次

第1部

グローバル化する大学キャンパス

1 ▶▶ 誰もが「移動する時代」

　現代は移民の時代と呼ばれています。国連の国際移住機関（IOM）は今日の世界人口のうち10億人、7人に1人が移民であると推定しています（IOM ウェブサイト）。この中には難民や避難民も含まれます。また、2億5000万人以上の人が生まれた国を離れて移住しており、その3分の2は、日本を含む主要20ヵ国・地域（G20）に暮らしています。その主要20ヵ国・地域（G20）には、毎年1300万人以上の人が新たに移住しているとも言われます（OECD-ILO-IOM-UNHCR, 2019）。

　日本の場合、海外から入国する訪日外国人数は、2018年に3000万人を超えました（日本政府観光局ウェブサイト）。また同年、海外へ出国する日本人は、年間約1900万人に達し、過去30年間で2倍に増加しました（法務省、2018）。子どもの頃から自分のパスポートを持って海外へ行った経験のある日本の若者は、もう珍しくありません。

　したがって、現代は、「移民の時代」というよりは、短期、長期の出国を問わず、誰もが「移動する時代」になっているのです。

▶ 国際化する大学キャンパス

　では、大学はどうでしょうか。

　日本政府は、2008年に「留学生30万人計画」を打ち出しました。この政策は、外国人留学生を積極的に受け入れ、開かれた国づくりを行うというもので、すでにその受け入れ目標数は達成されました。つまり、日本の大学はたくさんの外国人留学生を受け入れ、キャンパスを国際化する方向へ動いているのです。

　外国人留学生数は、大学の世界ランキングの評価ポイントにも含まれているため、世界の大学競争に関心のある大学は外国人留学生を積極的に受け入れる傾向にあります。英語による講義やコースを準備し、外国人留学生が英語だけで単位や学位がとれるような工夫も見られます。

　一方、日本政府は外国人留学生の受け入れだけではなく、「グローバル人

材育成」を目指して、減少傾向にある日本人学生の海外留学を積極的に推奨しています。たとえば、早稲田大学では、毎年、約8000人の外国人留学生を受け入れ、約4000人の学生が海外留学に出かけていきます（早稲田大学留学センターウェブサイト）。これも、「移動する時代」の特徴の一つです。

▶ 英語による大学教育

近年、大学で英語教育に力を入れる大学が増加しています。中でも、すべての授業を英語で行う学部を創設する動きがあります。早稲田大学も2004年に国際教養学部（School of International Liberal Arts: SILS）を設立しました。この学部は、早稲田大学の伝統のもと、「基礎的な教養」「多元的な視点」「論理的思考」を重点的に養う「リベラルアーツ教育」を英語で行う学部で、日本人の学生は在学中に1年間の海外留学が必修となっています。国際教養学部の入試はユニークで、一般入試のほかに、AO入試があります。AO入試では、日本の中等教育課程を修了する者を対象とした「国内選考」と、日本国外の12年間の中等教育課程を修了する者を対象とした「国外選考」があり、どちらも「国籍は問わない」ことになっています。国内外の「インターナショナルスクール」の修了者も含まれるため、多様な受験者が世界中から来ることになります。

▶ グローバル人材とダイバーシティ

今、大学教育は新しい時代に対応する力が問われています。文部科学省は「グローバル人材」や「スーパーグローバル大学」などを謳い文句に大型補助金を出して、大学間の競争や大学変革を迫っています。

一方、実際の大学キャンパスはダイバーシティ（多様性）と呼ばれるように、さまざまな学生たちが溢れています。たとえば、早稲田大学は100ヵ国以上の国や地域からの学生を受け入れていますし、どの学部にも多様な背景の学生たちがいます。海外で中等教育を修了したため、日本語よりも英語の方が強い日本人学生もいます。また、日本語がまったくできないまま入学した留学生が日本語クラスで日本語を学び、卒業する頃には日本語がペラペラになって日本企業に就職するケースもあります。

さらに言えば、前述の国際教養学部以外の学部にも、大学に入学するまで

に、海外で生活した経験のある日本人学生や、日本語以外の言語で教育を受けた経験のある日本人学生、日本国内の学校で教育を受けた外国人学生など、多様な背景を持つ学生たちがいることは珍しくないのです。

　このような学生がいることは、誰もが「移動する時代」に生きているからこそ、当然の結果なのです。だからこそ、それらの多様な背景を持つ学生たちとともに、どのような教育実践を行うかが、今、大学教育で求められているのです。英語が話せれば「グローバル人材」であると単純に考えられないのです。

2 ▶▶ どのような力を育成するのか

　今の学生たちの生活は、まさに、「モバイル・ライブズ」（Elliott & Urry, 2010）です。インターネットとつながる端末デバイスを携帯し、いつでもどこでも、歩きながらでも、メールやチャット、対面通話アプリを利用して、国境を越えて誰かにつながる体験を、日常的に積んでいます。

　そのような情報化時代においては、発信される情報を見分け、何が真実で、何がフェイクなのかを判断する力が求められます。それは、最新の端末デバイスをうまく使いこなせるためのテクニックやスキルだけではなく、自分で判断する力が必要になります。その判断力を支える知識や、問題を深く考える力、たくさんの情報を統合化する力など、多様な力が必要になります。

▶ 自分で考える力

　どの学生も自分なりに考える力はあります。しかし、その考えに自信がないことがあります。たとえば、自分なりの答えを見つけても、「これは自分の個人的な体験にもとづくもので、一人よがりな考えではないか」と思ったり、人の前で発言する内容でもないと勝手に決めつけたりする場合があるようです。

　また、情報化時代においては、クラスで発言しなくても、ネット上に発信することで満足したり、身近な気のあった友だちだけと携帯で「つながって」いれば十分と思う学生もいるかも知れません。確かに、それも「自分で考えている」ことの例でしょうが、「自分で考える」内容を他の人に提示し、共有したり、あるいは反対の意見に触れたりすることで、自分が考えていることをより客観化することができます。さらに、それを受け入れてくれるクラスメートや教師がいることで、「社会的承認」を得たと感じ、自信を持つこともあります。そのような意味で、本書における「自分で考える」とは、一人で黙々と考えるということではなく、「他者に提示し、共有しながら、共に考える」という意味で使用します。この点は、これからの教育に欠かせ

ない視点だと思います。

▶ 体験を語る／言語化する力

　学生が自分で考えたことを、自信を持って「他者に提示し、共有する」ときの発言は、程度の差はあれ、自分の体験にもとづく意見であることが多いようです。当たり前ですが、学生一人ひとりがこれまで体験してきたことは、それぞれ異なります。その異なる体験、自分だけの体験をもとに語るという作業は、自分の体験を客観視し、同時に、自分自身を客観化することにつながります。つまり、自分の体験をメタ的に捉え、それをことばで表現するという言語化は、考える力や表現力を高めることにつながります。

　自分の体験にもとづき言語化することは、同じような体験を持つ人には共感を、また同じような体験を持たない人には新たなインパクトを与えることになります。そのように自分にとって大切な体験、意味のある体験を語ることが、他の人に共感やインパクトを与えると感じることは、語った学生にとっては新たな体験、つまり意味のある体験になり、自信につながることでしょう。その前提として大切なことは、そのような教室環境、教室風土を作るということです。

▶ 知的構想力

　「グローバル人材」とは、これまで述べたように、単に英語が話せるだけではなく、何が本当のことかを自分で判断する力、その判断を支える知識、問題を深く探究する力、たくさんの情報を統合化する力など、多様な力を有する人を意味します。ただし、これらの力は、これまでの教育でも求められ、育成されてきた力です。しかし、今求められる力とは、グローバル化が進み、高度に情報化する社会で、誰もが「移動する時代」に人々がどう生きているかを理解し、社会認識を更新する力なのです。

　その力を獲得するためには、さまざまな社会的事象の背景にある要因や課題を理解し、一人ひとりがどう生きているか、何が大切なことと考えたら良いのかという課題を捉える「知的構想力」が必要なのです。それは、一人で学習するというよりは、他の人と協働しながら共に学び、多様な捉え方や考え方に触れながら培っていくものなのです。

では、「誰もが「移動する時代」に人々がどう生きているかを理解し、社会認識を更新する力」は、どのような授業を行えば育成することができるのでしょうか。次に、このような問題意識から構想した授業について説明します。

3 ▶▶ 授業をデザインする

　ここで紹介する授業は、大学院日本語教育研究科が設置するもので、早稲田大学グローバルエデュケーションセンター（GEC）で開講されている副専攻「日本語教育学」の科目群の中の、2019 年度に開講された「複言語社会を知る 1」（週 1 回：1 単位、計 8 回）と「複言語社会を知る 2」（週 1 回：1 単位、計 8 回）です。ここで言う副専攻とは、「日本語教育学」と指定された科目群の単位を一定数取得した場合に「副専攻」が認定されるというシステムなので、はじめから「副専攻コース」があるというわけではありません。したがって、これらの科目は、全学部の誰もが受講できる、全学部に開かれた、いわゆる「オープン科目」なのです。

　この二つの科目は、春クォーター（8 回）、夏クォーター（8 回）で連続して開講されており、学生は春クォーターのみの受講か、あるいは連続して 2 科目受講することもできます。

　2019 年度のこれらの 2 科目は、大学院日本語教育研究科の教員である私が一人で担当しました。私はこれまで「幼少期より複数言語環境で成長する子どもの研究」を行ってきましたので、その研究をもとに「日本語を学ぶ／複言語で育つ」子どもをテーマに授業をデザインしました。

▶ 授業の構造

　授業ではテキスト（次ページ）を 1 課ずつ進める形で、適宜、視聴覚教材、副教材などを加えます。また、最後にゲスト・スピーカーも招きます。

　授業では、テキストにあるケース（エピソードや考える課題）を読み、グループで意見交流、それぞれのグループで話し合ったことや意見を発表し、クラス全体で意見交流をします。さらに、毎回の授業の最後に「宿題」となる課題が提示され、それに対して学生は授業後に学内や自宅から「大学授業支援システム」に設定された「レビューシート」に、インターネットを使って自分の回答を提出します。この回答はクラス内公開とし、受講生はクラスメートがどんな意見を提出しているかがわかるようになっています。また学

生には、次週までにテキストの該当する課を予習するように指示しておきます。これを基本形として、受講生は最後に、与えられた課題について「課題レポート」を作成し、提出します。

▶ テキスト

この授業では、以下のテキストを使用します。

川上郁雄・尾関史・太田裕子（2014）『日本語を学ぶ／複言語で育つ──子どものことばを考えるワークブック』くろしお出版

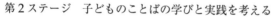

目　次

第1ステージ　子どもの直面する課題を考える

　　①　移動する時代と子どもたち
　　②　日本で日本語を学ぶ子どもたち
　　③　ことばの学びとことばの力
　　④　海の向こうで日本語を学ぶ子どもたち
　　⑤　ことばとアイデンティティ
　　⑥　それぞれの「日本語」

第2ステージ　子どものことばの学びと実践を考える
　　⑦　複数のことばの中で育つということ
　　⑧　社会の中で育つことば
　　⑨　子どもたちの心とことばの学び
　　⑩　ことばの学びを支える「教材」1
　　⑪　ことばの学びを支える「教材」2
　　⑫　ことばの学びを支える言語活動

第3ステージ　子どものライフコースを考える
　　⑬　ライフストーリーを解釈する1
　　⑭　ライフストーリーを解釈する2
　　⑮　ライフストーリーを解釈する3
　　⑯　ライフストーリーを聴く
　　⑰　ライフストーリーを書く
　　⑱　意見交流会と全体の振り返り

▶ シラバス

2019年度に開講された「複言語社会を知る1」（春クォーター）と「複言語社会を知る2」（夏クォーター）のシラバスを紹介しましょう。次ページの表をご覧ください。

まず、「春クォーター」の授業では、テキストの1課から7課までを中心に行います。受講生は、授業開始前にテキストを各自で購入することになりますが、授業登録をする際には、まだテキスト全体を読んでいない状況かと思います。

この段階で、学生は「複言語社会を知る2」（夏クォーター）のシラバスを読むことも可能です。

なお、「成績評価方法」として、「試験はありません。／レポートが課されます。（50%）／平常点は、毎回、授業の振り返りのコメントを、コースナビの「レビューシート」に書きます。200字程度。（50%）」がどちらの科目のシラバスにも記載されています。「コースナビ」とは、大学全体の授業支援システムのことです。インターネットがあれば、どこからでもアクセスできます。

ご覧の通り、授業の構造は特別な仕掛けがあるわけではなく、シンプルです。授業はテキストを使用して進められるという点も、よくある授業の形態と変わらないように見えます。では、この授業を受講した学生たちは、なぜこの授業を選び、何を語り、何を学んだのでしょうか。

2019年度のこれらの授業の受講生数（単位取得者数）は、「複言語社会を知る1」は30名、「複言語社会を知る2」は24名でした。つまり、後半の24名が二つの授業を連続して受講した学生数です。なお、これらの授業終了後の学生による「授業アンケート」（大学設置）によると、「総合的にみてこの授業は有意義だった」という設問（6段階評価）について、「複言語社会を知る1」の受講生（回答数：28）で「とてもそう思う」「そう思う」と回答した学生は89%、「複言語社会を知る2」の受講生（回答数：22）のうち同じ回答をした学生は90.9%でした。

科目名：「複言語社会を知る1」

(1) 副題：「移動する子ども」という経験と記憶をめぐる旅

(2) 授業概要：

「複言語社会を知る1」では、社会や個人において、どのようなことばが使用されているかを日本語教育の視点から考えます。現代は「移動する時代」です。この授業では、幼少期より複数言語環境で成長する子どもを中心に、次のことを主に考えます。

　①子どもはどのように複数言語を学んでいるか。

　②その中で日本語は子どもにとってどのような意味があるのか。

　③複数言語環境で育った経験は子どもの生活やアイデンティティ形成にどのような影響を与えるのか。

これらの課題を考えるために、基礎的なキーワードを確認しながら、モノリンガルな日本語教育を通じて、いかに複言語複文化能力を育成するのかという新しい言語教育のあり方を考えます。

(3) 授業の到達目標：

　・「移動する時代」における人と言語と社会の関係を理解する。

　・複言語社会で生きることが、人の生き方やアイデンティティ形成にどのように影響するかを知る。

(4) 事前・事後学習の内容：テキストを使用します。受講生は、事前、事後の学習が期待されます。

(5) 授業計画：

　1回目　オリエンテーション

　2回目　移動する時代と子どもたち

　　　　テキストの1章を学びます（以下、省略）

　3回目　日本で日本語を学ぶ子どもたち

　4回目　ことばの学びとことばの力

　5回目　海の向こうで日本語を学ぶ子どもたち

　6回目　ことばとアイデンティティ

　7回目　それぞれの「日本語」

　8回目　複数のことばの中で育つということ（振り返り）

　　　　この授業で学んだことをクラス全体で議論を行います。

科目名：「複言語社会を知る2」

(1) 副題：「移動する子ども」という経験と記憶をめぐる人生

(2) 授業概要：

「複言語社会を知る2」では、社会や個人において、どのようなことばが使用されているかを日本語教育の視点から考えます。特に、この講義では、幼少期より複数言語環境で成長した経験と記憶が、人生においてどのような意味があるのかを、多様な事例とライフストーリーから考えます。これらの事例とライフストーリーに関連する基礎的なキーワードを確認しながら、いかに複言語複文化能力を育成するのかという新しい日本語教育のあり方を考えます。

(3) 授業の到達目標：

・「移動する時代」における人と言語と社会の関係を理解する。

・複言語社会で生きることが、人の生き方やアイデンティティ形成にどのように影響するかを知る。

(4) 事前・事後学習の内容：テキストを使用します。受講生は、事前、事後の学習が期待されます。

(5) 授業計画：

1回目　オリエンテーション

2回目　社会の中で育つことば

3回目　子どもたちの心とことばの学び

4回目　ライフストーリーを解釈する1

5回目　ライフストーリーを解釈する2

6回目　ライフストーリーを解釈する3

7回目　ライフストーリーを聴く

8回目　振り返り

この授業で学んだことをクラス全体で議論を行います。

▶ 学生たちのプロフィール

　この授業を受講した学生は、上記の「シラバス」を「大学の授業科目一覧」で読み、受講することを決めたと思われます。学生たちは、何を期待して、この授業を受講したのでしょうか。

　以下、第2部ではこの二つの授業の展開を記録し、学生たちが考えたことやレポートを紹介していきますが、授業終了後に、本書に参加する学生をどのように集め、どのように同意を得たかについて説明します。

　本書を計画したのは、2019年の8月です。大学における成績処理がすべて終わった段階で、「複言語社会を知る2」の受講生24名に、授業記録（コメントやレポート）をまとめて本にしませんかと声をかけ、参加希望者を募りました。その際、すでに授業の成績は大学へ提出されていて、この企画への参加／不参加が成績に影響しないことを説明しました。9月初めまでに12名が参加希望を申し出てくれたので、その学生たちに「個人情報の扱いや倫理の説明」をし、同意を得ました。その結果、氏名の公開（本名か匿名、イニシャルか）、学部学年の公開、性別の公開等の希望を聞き、原稿ができた段階で各自に確認をとってもらうことを約束しました。

　本書で紹介する学生たちの発言やレポートは、明らかな誤字や表記の統一等で一部修正したところがありますが、ほぼ原文通りです。レポートの形式や引用の仕方、参考文献の書き方もさまざまですが、学生の実態と学生の自己表現をストレートに示すことを優先し、できる限りそのままとしました。12名の学生の所属学部は、政治経済学部、文化構想学部、教育学部、国際教養学部、そして社会科学部で、短期交換留学生も含まれます。学年はすべて2019年度時点の情報です。

　では、次の第2部で、実際の授業実践を見てみましょう。

第 2 部

複言語で育つ子どもを考える

4 ▶▶ 春クォーターの授業展開
─複言語で育つ子どもをめぐって

　この章から、この授業がどのように展開されたのか、そして学生たちはどう反応したのかについて説明していきます。

4.1　第1回目　オリエンテーション

　第1回目の授業は、オリエンテーションです。まず授業のシラバスや進め方、テキストなどを説明します。この段階では、半数以上の学生はまだテキストを購入していませんでした。そのため、授業では、写真や映像教材を使い、スクリーンにパワーポイントで設問を提示し、進めます。
　主に行った教室活動は以下です。

1. ドイツのインターナショナルスクールの写真を見て、以下の問いについてグループ討議。この写真は、テキストの第1ページに掲載されている。この写真には、子どもたちの両親がどの国の都市から移動し、ドイツの都市まで来たかをクラス担任が手書きで書いた紙が写っている。

> **問い**
>
> ドイツの写真から
> 　・子どもや親は、なぜ移動しているのか。
> 　・その背景には、どのようなことがあるのか。

　この問いを提示し、席の前や後ろの学生と意見交流するように指示します（グループ討議）。その後、どんな意見が出たか、グループごとに発表しても

らいます。この段階では、学生の意見をクラス全体に提示することが目的のため、私からコメントはしません。このクラスでは、どんな意見を言ってもいいのだという教室内の「支持的風土」（縫部、1999）を作ることが大切です。

次に、映像資料を見せます。

2. ビデオ「国際化する幼稚園」（関東圏のある幼稚園）
（多国籍化する幼稚園に入園する外国人幼児たちの苦労と、戸惑う先生の様子。20年以上前の映像を見て、意見交流）

｜このビデオを見て

・疑問に思ったことは？
・この背景に何があるのか？
・子どもたちが抱えさせられている課題は何か。

同じやり方で、席の近くの人、3人程度で、グループを作り、意見交流するように指示します。終わった頃に、クラス討議へ移行。この段階で重要なのは、現代社会は「移動する時代」であり、誰もが移動しているということ、そして、大人が移動する陰で、子どもたちが「移動させられている」という現実を理解することを目指します。

最後に、宿題として、「レビューシート」（大学の授業支援システムからアクセス）に「この授業を受講した理由について、200字程度で書きなさい。」と指示します。この段階では、クラスに30人程度いる学生の「受講動機」がわからなかったため、このような宿題を出しました。

水曜日に授業を行い、翌週の月曜日までに回答するように指示しましたが、次々と届く学生たちの回答を見て、私は驚きました。受講生の中に、幼少期より複数言語環境で成長する「移動する子ども」の経験を持つ学生が多数含まれていたからです。以下、「レビューシート」の書き込みを紹介します。

なお、学生の名前や所属学部、学年等は、本人の希望により、本名、仮名、イニシャル等になっています。

▶ レビューシート　1回目

問　あなたの「受講動機」は？

斎藤彩香[1]　|　国際教養学部３年
　この授業を取ったきっかけは、私も複言語社会で生まれ育ったからです。私は東京で生まれ、１歳の時にボストンへ父親の大学院留学のため行きました。最初は両親共に私に日本語を教えていたのですが、４歳になっても言葉を話すことが無かったため、学校で話される英語のみ使うようになりました。しかし小学校入学とともに日本へ帰って来ました。この時、日本語が全く使えず大変な目にあいました。そのため、私と同じ境遇の子どもをいつか救いたいと思い、授業を取りました。

植地丈華　|　文化構想学部４年
　以前ゼミ合宿でインドに訪れたときに、インドの教育制度では母語の他に２つ以上の言語を習うことを知って、衝撃をうけました。これを踏まえて、複数の言語を同時に、または幼少期のうちに習得することはモノリンガルの子どもとどのような違いがあるのか、また大学で２言語目を習う生徒とどのような差異があるのかを知りたくて受講しました。
　第一回は「移動する子どもたち」の序章として、ドイツのインターナショナルスクールでさまざまな背景を持つ子どもたちや、日本の幼稚園に通う海外の子どもについて話し合いました。現時点での正直な感想としては、言語の習得や文化の違いなど、精神的ストレスを感じる機会が一般のモノリンガルの子どもより多いかと思われますが、２つ以上の言語を学べる環境にあるのは羨ましいと思いました。

1　仮名。

塚本実知子 ｜ 教育学部3年

　私は生まれも育ちも日本なので日本語だけで不便なく過ごしてきましたが、半年間のアイルランド留学を経て多言語を話す学生と多く出会いました。彼らの中には趣味でいろいろな言語を学んでいる人もいれば、母国語以外の言語を使わなければ生活していけない状況に置かれている人もいます。現在日本では「早期英語教育」や「グローバル化」が叫ばれていますが、母国語だけで学問を深められたり良い職に就ける日本の社会をもっと称賛すべきだとも思います。ですので、この授業を通して、複言語社会の良い点と問題点を客観視できるようになり、今後日本はどのように世界の一員であるべきなのかを考えていきたいです。

Qu Jiaxian ｜ 社会科学部・交換留学生

　生まれも育ちも中国ですが、私は幼稚園の時から英語を学び、中学に入ってからまた日本語に興味を持ち出し、独学を始めました。高校は公立校の国際部で、クラスメートは全員中国人でしたが、授業の八割くらいは英語で行なっていたし、教員もほぼ英語圏からの外国人でした。大学はアメリカにあるニューヨーク大学に進学し、日本文化協会という日本人が集まってるサークルに入り、いろんな日本人とも知り合いました。そして今、交換留学生として早稲田に来ました。中国での友だちはみんな留学してて、ニューヨーク大学で知り合った日本人もほぼ全員複言語環境の中で育てられていました。グローバル化が進む今、そういう私たちに対して、言語は一体どんなものだろうと、私はこの質問を抱えて、講義を受講しました。

真由 ｜ 国際教養学部2年

　私がこの授業を履修することとなったきっかけの一つは、以前川上教授の講義を履修していた友人に勧められたことです。また、自身が興味のある分野であったため受講させていただきました。私自身が以前日本語教育学の授業を履修していた時、日本語を学ぶことの大変さに向き合いました。幼少期にアメリカのカリフォルニア州

に父の仕事で行っていた経験も相まって、その講義を通しいくつもの言語を保持することの利点や難しさについて深く考えるようになりました。私の経験を多くの人に共有し、これから多様化の進む時代における対策を可能な限り議論していきたいと考えます。

　そして今回の講義を通して感じたことは、自身の知識不足です。授業内でもお話しした通り、（授業で見た）幼稚園のような環境において外国の子どもたちが抱えさせられている問題に初めて触れました。日本国内の労働力不足という誰でも知っているニュースの陰で、子どもたちが大きな負担を背負わされていることに気づくという一歩を踏み出すことができました。物事を多面的に見ることが複言語社会において重要になってくることを実感しました。

 Y.T. ｜ 教育学部 3 年

　私がこの授業を履修している理由は、日本語教育の副専攻をとりたいと思ったからです。なぜ日本語教育に興味を持っているかというと、昨年の夏にアメリカにある公立小学校の日本語イマージョンスクールにボランティアに行った経験が大きいと思います。英語が母語の子どもたちが第二言語として日本語を学んでいる姿を見て、「外国語を学ぶということは英語を学ぶことだけではない」と今更ながら気づかされました。

　また、日本の中での外国籍の子どもたちへの支援に目を向けてみると、日本語をサポートするようないわゆる国際学級を設けている学校はまだまだ少ないと思います。実際に、私が毎週ボランティアとして行っている都内の公立小学校の児童の中にも外国籍の子がいますが、先生方は配慮はしつつ「子どもが慣れる」のを待っている状況だと思います。今回の授業で紹介にあったインターナショナルスクールの子ども（親）一人ひとりの移動を認めてあげるというような取り組みはされずに、「日本語が通じないから大変だ」というような捉え方が日本の学校現場でされているように感じます。このような経験から、日本はまだ「複言語社会」とは言い切れないと思いました。

松原直輝 ｜ 政治経済学部 1 年

　自分は少し前まで塾で数学を教えていたのですが、その中に昔から日本の学校に通っている中国人の生徒が 2 人いました。中国語は勿論、日本語も高校生の現代文は難なくこなせるレベルだったのですが、同程度の理解力をもつと感じる日本人の生徒よりも伸ばせてあげられなかったと感じています。自分の力不足は勿論、彼らの日本になじむ努力・過程（聞いていて言葉にするのも難しいほどの苦労と感じましたが）に何か理由があるのかなと感じ、複合的なアイデンティティを持つ方などに、どう伝えたらいいのかを学びたいと思いました。今日の感想としては（少し前だからかもしれませんが）保母さんを少し「押付け」的に感じました。しかし言語、思考、コミュニケーション力どれもが途上の幼児たちを、多様性を尊重しつつも孤立させず集団に溶け込ませるというのは簡単なわけがなく（幼児側は言うまでもないですが）保育士への負担もバカにならないと後から感じました。

N.N. ｜ 国際教養学部

　私がこの講義を履修しようと思った理由は以前履修した日本語教育学の講義で子どもの日本語教育に興味を持ったからです。また私自身、幼い時から親の仕事の都合で海外に滞在していたため、複言語社会というものに関心を持っていたこともこの講義を履修することにした理由の 1 つです。授業で視聴した映像資料の中では移動を余儀なくさせられた子どもたちが孤立している様子が印象的でした。異文化の受け入れやことばの壁など子どもたちが抱えさせられた課題は多くありますが、子どもたちが移動先の日本や暮らしている地域を自分の居場所として考えられるような環境作りも大切なのではないかと思いました。そのためにも周りの人の、移動する子どもたちへの理解を深めていくことが大切だと考えました。

T.Y. ｜ 政治経済学部 2 年

　私は 12 年間海外に滞在し、複言語社会で育ちました。言語や文

化を何 1 つ知らない環境に突然移ったことで、当初は授業が理解出来ないばかりか、同級生や先生とコミュニケーションを取ることすら難しく、とても苦労したことを覚えています。

　また、人生の半分以上を海外で過ごしていることで日本の歴史や文化に触れる機会が減り、国籍は日本でも自分のアイデンティティがどこにあるのか、ホームに感じる国はどこ？と聞かれた時に“日本”と答えてもいいのか分からなくなることがあります。

　複言語環境で育った子どもが増えている今、このような子どもたちのアイデンティティ形成や、突然異なる環境に移動してきた子どもをより受け入れられる社会にしていくにはどうすればいいかについて興味があり、この授業を履修することにしました。

A.I.[2] ｜ 政治経済学部 1 年

　自分はアメリカ国籍と日本国籍の両方を所有しています。アメリカで生まれ、しばらくして日本へ渡り、また小学校でアメリカに戻りました。高校は日本へ戻ってきましたが、自分の考え方や行動が果たして日本とアメリカどちらのものなのかところどころ分かりません。日本にいてもすぐさま帰国と見抜かれ、かといってアメリカに戻ってもネイティブとは根本的に違う。少しでもかつての自分や今の自分と同じ境遇の子どもたちや現在の社会について学ぶことで、自分のことも知れるかもしれないと思い、この授業を取ることに決めました。

キム ハヨン ｜ 教育学部 1 年

1. 実は私、留学生なので必修科目として日本語を学ばなければなりません。そこで、この授業が日本語の授業だと思って申し込みましたが、私の間違いでした。ですが、授業がすごく面白かったので続けられるなら続けたいと思います。

2. 私は韓国人で、6 年前に日本に来ました。最初の時は言語や文化

2　仮名。

の異なりで苦労した記憶があります。今日の授業でドイツの幼稚園や日本の横浜にある幼稚園の動画を見ながら周りの人々との議論をしましたが、すごく面白かったです。これからも複言語社会について学んでいきたいと思います。

C.S. ｜ 政治経済学部4年

　私自身、幼少期に親に連れられてアメリカに渡り、6年間ほど現地校に通っていました。あのときアメリカに渡らず、日本に残っていたら、自分の人生は今とは異なるものだったのだろうとふと思うときがあります。よって、自分の経験も参考にしつつ、客観的に複言語社会について考えたいと思い、この授業を選択しました。

　前回の授業では、学校や保育園の実態から、背景に存在する問題について考えました。人の暮らしと社会の在り方は相互に関係しており、自分とは関係のないことだと思っていることも決して他人事ではないのだと改めて思いました。

▶ 授業を終えて①

- 受講生の背景は、ご覧の通り、多様です。幼少期に米国や他国で過ごした人、大学生になってから海外留学をした人、中国人の高校生に数学を教えていた人、韓国で生まれ日本で成長した人、中国で生まれ日本語は独学、高校まで英語で教育を受け、アメリカの大学から日本に来た人、日本とアメリカの二つの国籍を持つ人などさまざまです。まさに、「移動する時代」の学生たちです。

- さらに、受講動機も、子どもの日本語教育を学びたい、複言語で育つ子どもについて知りたい、そのような背景を持つ子どもを社会はどう受け入れるべきなのか、複言語社会の良い点と問題点を知りたいなど、時代を反映した問題意識があります。

- 中には、「かつての自分や今の自分と同じ境遇の子どもたちや現在の社会について学ぶことで、自分のことも知れるかもしれないと思い」、受講したという人もいるように、この授業のテーマと自分の体験を結びつけている学生が多いことが注目されます。それは、なぜなのでしょうか。

・学生たちは、自分たちが「移動の時代」のただ中に暮らしていることを直感し、「複言語社会」の定義がなくても、その内容を類推するほど、未来の社会像の予感を持ち、子ども、複数の言語、社会、人の生き方を考えたいと、この授業のテーマを自分のこととして受け止めているからではないでしょうか。

　これから、どのような展開になるか、楽しみです。

4.2　第2回目　移動する時代と子どもたち

　授業の最初に、前回の「レビューシート」に触れます。「レビューシート」はクラス内公開なので、学生たちは自宅や学内で「コースナビ（大学の授業支援システム）」にアクセスすれば、いつでもクラスメートの「レビューシート」を見ることができます。入学したばかりの1年生もいるため、「レビューシート」がクラス内公開であることと、このクラスに多様な背景の学生がいることを、改めて説明します。

　次に、本時の授業に入ります。はじめに、映像資料「未来の小学校」を上映します。このビデオは、都内のある小学校を長期に取材し、制作されたドキュメンタリー番組で、15年ほど前の映像です。外国人児童が全校児童の半数を超えるという学校で、日本語がまだ十分にできない外国人児童がどのように苦労しながら学校や家庭で生活しているか、また日本語指導がどのように行われているかを紹介する内容です。このビデオを視聴した後、学生たちに前回と同じように席の近くの学生たちと意見交流（グループ討議）を促します。子どものときに、同じように国境を越えて移動した経験のある学生も多く、さまざまな意見が出ました。

　さらに、次のスライドを示し、考えます。内容はテキストにある「ケース」（テキストp.9の事例。以下、ページ数はテキストのもの）ですが、まだテキストを購入していない学生がいることも想定して、スライドに同じ内容を掲載します。

マリアのケース①

マリアは、小学生 2 年生のときに母親と来日しました。編入当初、まったく日本語ができませんでした。担任の私と母親とは片言の英語が通じましたが、マリアには英語も通じませんでした。私は、マリアの母語で通訳をしてくれる人を探しましたが、見つかりませんでした。マリアは、授業中、黙って座っているだけです。せめて、通訳が授業の内容を伝えてくれたらと、私は思いました。マリアは、日本語を覚えることも、ひらがなを書き写すこともできませんでした。　　　　　　　　　　　　　　　　　（小学校担任の証言）

その上で、次のスライドで、学生たちに問いかけます。スライドを 2 枚に分けているのは、グループ討議、そしてクラス討議へ、具体的な事象から俯瞰的・抽象的な思考へ発展させるためです。

問 2
あなたが小学校の頃、マリアのように外国から来た子がクラスにいましたか。

問 3
あなたが担任なら、マリアにどのようにしますか。

問 4
これらの子どもたちが直面する課題には、どのような課題があるでしょうか。

「問2」「問3」というのは、テキストにある「問」（p. 9）をもとに作りました。これらの問いをめぐり、グループ討議を行い、出てきた意見を、クラス討議で発言するように促します。

　さまざまな意見が出ます。中には、自分も同じような体験をしたと語る学生もいます。まだ授業は2回目で、クラスメートとの関係も、また教員の私との関係も、まだできていない段階です。そのため、発言を促しても強要することはせず、すべての意見を受け入れる姿勢を示します。

　授業の最後に、次のスライドで宿題の問いを出します。

｜レビューシートの問い

　母語と母国語の違い（p. 11）を読んで、
　あなたにとっての母語は何かについて書きなさい。

　テキストには、「キーワード」という欄があり、そこに、このテキストのテーマに関係する基礎的な用語や考え方が簡潔に記載されています。たとえば、「母語」（p. 11）は、次のような解説です。

　母語
　　人の母語の定義は、研究領域によっても異なる。①最初に学んだ言語（origin：社会学）、②最も知っている言語（competence：言語学）、③最もよく使用する言語（function：社会言語学）、④自分にとってぴったりくる言語、自分で母語話者と考える言語、あるいは他者が母語話者とみなす言語（attitude：社会心理学、心理学、社会学）と捉えられる（Skutnabb-Kangas, 1981）。ただし、これらの母語の捉え方ですべての人間を分類することはできない。一人の人間の場合でも、状況や時間が変化すれば、個人や他者が考える母語の意味づけは変わる可能性がある。（以下、省略）

この宿題に、学生たちはどう答えたのか、2回目の「レビューシート」の回答を見てみましょう。

▶ レビューシート　2回目

問　あなたにとって母語とは？

斎藤彩香　│　国際教養学部3年
　私は1歳の時にアメリカに移ったので、私にとって「母語」という言葉は悩ましいものでした。母は喃語は日本語らしいものだったと言いますが、初めて発した言葉は「Thank you」だったので、最初に学んだ言葉は英語だったと思います。しかし小学校からは日本の学校なので、最もよく知っている言語は確実に日本語です。「最もよく使用する言語」を聞かれるととても難しいです。国際教養学部なので授業は英語ですし、寮には中国人の友達が多いので中国語で話しますし、母親と話すときは日本語にするというルールです。そして、一番しっくりくる言語は専ら英語です。感情豊かで一番社会性が身につく幼稚園の間はずっとアメリカにいたからです。私は必ずしも「母語」を定義する必要はないのかなとたまに考えます。というのは、「母語」という概念に縛られてしまうと私みたいにあぶれて、いつも「私の母語は何だろう？」と悲しい気持ちになる人がいるからです。

植地丈華　│　文化構想学部4年
　日本生まれ日本育ちの私にとって日本語は一番初めに触れた言語であり、最も熟知・使用し自分にとって日本語が一番しっくりくる言語であるため、教科書で指摘された4つのパターンから考慮するといずれもこの日本語が母語と言えます。20余年も日本語を主に話してきたので今後仮に仕事で海外に20年以上滞在したとしても自分の思う母語は日本語であり続けると思います。私にとっての母語はより場所的な意味合いが強く、「ふるさと」のように感じています。どこに引っ越しても自分の故郷が変わらないように、どの言語

を習得しても「日本が自分にとって故郷である」と感じられる限り日本語が母語になるのだと思っています。そのため、「第二の故郷」のように自分にとって馴染みのある言語ができた場合、「母語」が移り変わるのではなく、「第二の母語」として認識すると思います。

　例えば、私は千葉県に生まれたので標準語を話していましたが、のちに大阪、福岡、愛知に引っ越しをしたため標準語の他に関西弁、博多弁、名古屋弁も話せます。その中でも福岡と愛知は特に馴染みがあるので博多弁と名古屋弁を聞くと自分の故郷のように感じ嬉しくなりますが、大阪にはそれほど馴染みがなかったので関西弁を聞いても、大阪に住んでいた頃の記憶が想起されるような懐かしい感情は抱けません。よって自分のもつ母語（母方言というべきでしょうか）は標準語、博多弁、名古屋弁と、３つあると感じています。

塚本実知子　│　教育学部３年

　母語は「使っていてストレスを感じない言語」だと思うので、日本で生まれ育った私にとっての母語は日本語です。半年間の留学中に１番使用した言語は英語でしたが、言いたいことが言えなかったり、日本語だったらもっと上手く伝えられるのにというもどかしい思いを幾度となく経験しましたし、これはきっとその学習言語がいくら得意になってもそれ以上にストレスフリーで使える言語がある限り感じてしまうことだと思います。

Qu Jiaxian　│　社会科学部・交換留学生

　両親とも中国人で、18年間中国に住んでいた私にとって、母語は間違いなく中国語だと思っていますが、教科書に書かれた定義は私に新しい視点を与えてくれました。

　私は中学二年生の時、突然日本の流行文化にハマりだして、独学で日本語を勉強し始めました。その頃は家庭の事情で色々大変になり、すごく落ち込んでいた時期でしたが、いつも日本語に救われていました。辛い時もずっとJ-POPを聴いていたし、日記も他の人に読まれないために下手な日本語で書いていました。文法は本当に

グチャグチャで全然まともな日本語ではなかったが、私にとってそれは唯一自分の素直な気持ちと向き合う方法でした。日本語は決して一番使える言語ではないが、私の中では一番自分にぴったりな言語で、一番本心に近い言語です。

　高校で留学に備えるために、授業の8割が英語になり、そのあとアメリカに行き、友だちとの会話や日常生活のやりとりも全部英語になりました。中国語は家族や幼馴染の友だちとしか使わない言語になって、ただの2年半で、学術関係の話題はともかく、日常会話でも英語の単語を混ざらずに喋るのが難しくなりました。今交換留学生として早稲田に来ても、中国からの留学生より、同じくアメリカの大学から来てる人と英語で話す方が自然と感じます。最も知っている言語かどうかはわかりませんが、確実に中国語を使うより英語での方がいい論文を書けるし、中国語より頻繁に使っています。

　今の時点ではやはり中国での時間が一番長かったから、迷わず母語は中国語と答えますが、もしこのまま海外に残って何十年も経ったら、その答えはどう変わるのでしょう。

 真由　｜　国際教養学部2年

　母語と母国語の違いについてテキストを読んだとき、私自身に明確な母語は存在しないということを感じた。私は7歳の頃にアメリカのカリフォルニア州に父の仕事の都合で渡ってしばらくして現地校へいきなり放り込まれた。幸い、周りに日本人が非常に多い環境であったため、沈黙期間が明確になく比較的容易に溶け込むことができた。しかし、言語の面において11歳で帰国した後違和感を覚えることとなった。言葉がとっさに日本語で出てこないことや、イントネーションがおかしいと指摘されたりすることが多くなった。さらに、周りに対してどう接していいかわからず、同級生にも敬語を使っていた。もちろん当時も自身は日本語を一番得意としており、母国語であるということがその認識をさらに後押ししていた。しかし、「母語」という概念において重要なのは個人のとらえ方である。そのため、母語は一人一人のバックグラウンドを尊重し、本人が成

長していく過程で考えるべきことではあるが、明確化する必要はない。複言語社会において、母語がきちんと定まらないという曖昧さを社会としても受け入れる風潮を作り上げることが重要だと考える。

 Y.T. ｜ 教育学部 3 年

　私にとっての母語は日本語であると考えますが、「日本語」とひとくくりに考えて良いものかとも考えました。一般的な言語の区別としては「日本語」ですし、もちろん私が話している言語も「日本語」ではありますが、日本語には様々な方言があります。私は大学に入学するまでずっと福岡に住んでいたため、一番「話しやすい」と感じるのは福岡弁（糸島弁）です。文法構造にいわゆる「標準語」と大きく変わりはないので区別するか否かは分かりませんが、母語を「自分が一番使いやすいと思う言葉」「一番自分を表す言葉」と考えると、私にとっては福岡弁になると思いました。

　国一つに一つの言語と考えてしまっているから「国語」すなわち母国が加えられ「母国語」となっているのならば、母語と母国語は大きく違うと考えます。国一つにいろいろな言語が存在すると考える「母語」の視点からだと、単純に「日本語」ではなく、方言も含まれて良いのではないかと考えました。

 松原直輝 ｜ 政治経済学部 1 年

　この授業でいろいろな方の話を聞くまでは、（特に抽象度が高いものを）考える時に自然と脳内で使う言語が母語と思っていました。思考と言語は切り離せないと思っていたからです。

　ただ、このように決めてしまうと、教育によって方言を話す人の母語は標準語になってしまい、「母語」というにはルーツの要素が無視されている気がしますし、また、（自分が日本語以外が出来なさすぎるせいか）複数の言語を幼少期にマスターした人の視点が足りていない気もします。

　なので母語というものは、客観的に「母語＝○○語」と定義するものではなく、主観的に「母語と感じる言語＝母語」とする（人に

よって「状況で変わる」でも、「産みの母・育ての母」のように役割別に複数と感じるのでもいい）。ルーツをどこに感じるかと同様に、母語は自由に捉え、仮に学術的に客観的な定義が求められれば、別の言葉で（例えば第一言語など）考えるのがいいのかなと思いました。

N.N. ｜ 国際教養学部

　幼少期から英語と日本語の二つの言語に触れていた私にとって母語とは何か、というのはすぐに答えが出せない問です。英語圏に滞在していたものの、家庭内と毎週土曜日に通っていた日本人補習校では日本語を使用していたので、私は常に日本語と英語の二つの言語を使っていました。教科書にある「最初に学んだ言語」以外はすべての項目で日本語も英語も当てはまるように感じたので、この定義に沿って考えると日本語と英語の両方が私の母語だと考えられるのかな、と思いました。しかし、日本でずっと生活してきた知人から私の日本語での表現に違和感を覚えるなどという指摘を受けたり、英語のみを話すアメリカの友人と話していると感じる差を思い返してみると、どうしても私は日本語も英語もどこか中途半端な感じがしてしまい、どちらが私の母語なのかはっきりとは言えません。今まで自分の母語について深く考えることがなかったのですが、この問を通じて母語の定義は難しく、曖昧なものだと改めて思いました。

T.Y. ｜ 政治経済学部2年

　私は小学1年生の時から中国に住み、中学と高校はインターナショナルスクールに通い英語と中国語を学んでいました。他言語を出来るだけ早く習得しようと頑張って勉強している中で家庭内で喋る日本語や日本人と日本語を使い喋る時間は文法や単語を頭を回転させながら喋る必要が無く、自分の中で凄くホッとするような気持ちになり、安心感が強かった記憶があります。私の中で母語というのは喋っていてしっくりきて、ストレスを感じることなく喋れる言語のことだと感じていて、私にとっての母語は日本語だったと考え

ています。

A.I. | 政治経済学部 1 年

　私はアメリカと日本におよそ同じ年数ずつ過ごしましたが、私の母語は何かと聞かれたら迷いなく日本語と答えます。私の中での「母語」の解釈は直訳の "mother tongue" です。その言葉の通り、母が普段使っている日本語が私にとっての母語になりました。しかし今回テキストを読んでみて、私にとって日本語が母語となるのは単純に母の第一言語だからというだけではなく、「④自分にとってぴったりくる言語」でもあるからかもしれないと思いました。

キム ハヨン | 教育学部 1 年

　私にとって母語は自分にピッタリくる言語です。私は、中高生のときに東京韓国学校という韓国学校へ通いましたが、そこには韓国語ができない韓国人、日本語ができない日本人など、国籍とは関わらずいろんな言語を母語として使う学生が多かったです。その学校に通いながら、国籍とその人のアイデンティティや母語はあまり関係を持たないと思いました。国籍とは関わらず自分が一番よく使える、自分にある言語が母語だと思います。

C.S. | 政治経済学部 4 年

　教科書の母語の定義を読んだ限りでは、自分の母語が日本語なのか英語なのかわかりませんでした。例えば、①の最初に学んだ言語で言えば、私が生まれてすぐ、母は私をバイリンガルにさせようと英単語ばかりを話しかけていたそうで、その結果、私が最初に言ったのは egg だったそうです。②の最も知っている言語に当てはまるのは日本語で、③の最も使用する言語で言うと、日本にいるときは日本語、アメリカにいるときは英語なので、今は日本語ということになります。このように、定義によって母語が変わってくることに驚きました。なぜなら、私の自分自身に対する認識は日本語話者なので、時と場合によって英語が母語に入ることもあるのかもしれな

いと気づいたからです。しかし、ある意味、自分の認識では日本語が母語なのであれば、それは④の定義に当てはまるのかもしれません。母語と母国語、非常に奥深いなと思いました。

▶ **授業を終えて②**

・ はじめの事例は、日本にいる「移動せざるを得なかった子ども」の例です。すでにこの段階で、学生たちは子どもへ視点を移し、「自分なら」と考えたり、「自分の過去」と重ねたりした発言が授業中にもたくさん聞かれました。

・ だからこそ、宿題で「あなたにとって母語とは何か」と問いました。この問いにより、学生たちは改めて「ことば」とは何かを考えることになります。同時に、その問いは、自分の過去と向き合うことになります。

・ そのため、「母語は日本語」と答える学生がいる一方で、中には、「私にとって「母語」という言葉は悩ましいもの」、あるいは「私自身に明確な母語は存在しない」と答える、複数言語環境で育った学生もいます。

・ さらに、母語は日本語とくくることに疑問を提示し、「方言も含まれて良いのではないか」という意見を述べる学生もいます。また、「母語の定義は難しく、曖昧なものだと改めて思いました」という意見や、「客観的に「母語＝○○語」と定義するものではなく、主観的に「母語と感じる言語＝母語」とする」という意見、「国籍とは関わらず自分が一番よく使える、自分にある言語が母語だと思います」という意見もありました。

・ このように多様な意見がクラスに渦巻いていました。どの学生も、自分の過去と向き合っています。その中で、「主観的」という表現があるように、自分の判断を拠り所として考えをまとめようとしている点が注目されます。「グローバル人材の育成」に欠かせない視点です。

4.3 第3回目 日本で日本語を学ぶ子どもたち

3回目の授業の最初に、前回の「レビューシート」について、学生たちの意見を紹介します。次のスライドは、実際のクラスで示したものです。

| 宿題　あなたにとって母語とは？

・両親が日本人だから、私の母語は日本語
・小学校から海外育ち、でも、ストレスを感じなく喋れる言語は日本語
・主観的に「母語と感じる言語＝母語」、ルーツの言語？
・国籍とは関係ない自分が一番使える言語
・自分の人間形成に最も強く関わった言語
・18年間の中国語、独学の日本語、留学先の英語
・日本生まれ、でも中国に約10年、母語は日本語？　中国語？
・日本生まれ、アメリカ育ち、母語は日本語、でも英語も中国語
・方言は　　・母語はわからない　　・母語は明確化する必要はない

　このスライドのねらいは、母語といっても、クラス内の学生によって考え方、捉え方にバリエーションがあることを示すことにあります。

　このスライドにある文言は、「レビューシート」に書かれた文章からキーワードや想いなどを、私の視点で断片化しているので、必ずしも正確ではありません。そのため、これらの意見を書いた学生にマイクを渡し、書きたかった内容や言いたかったことを述べてもらいました。

　それらのやりとりを通じて、自分の書いた「レビューシート」の意見がクラス内に改めて示されることは、参加する学生の動機付け、あるいは自信になる効果があったのではないかと思います。

　この後、3回目の授業に入ります。

　はじめに、映像資料「私も学校へ行きたい」を見ます。このビデオは10年ほど前に作成されたもので、外国人児童生徒の「不就学」問題を扱ったニュース映像です。文部科学省が初めて調査をした時期の子どもたちの厳しい実態が示された貴重なビデオです。

　ビデオを視聴した後、グループ討議をし、意見交流や質問を受け付けます。日本で、「学校へ行かない子ども」がいるという事実は、学生たちにとって少なからずのショックを与えたようです。

　次に、テキストを開き、「マリアのケース②」を読むように指示し、問1（p. 12）について考えるように促します。「マリアのケース②」は、日本語がわからないまま来日し、小学校に入学し、ようやく小学校の高学年になっ

たマリアの様子が描かれています。そして、問いでは、「日本語をペラペラ話すのに教科学習の内容が理解できないのは、なぜでしょうか」と聞きます。

　この問いについてグループ討議をした後、テキストのキーワード「生活言語能力と学習言語能力」（p. 15）を読むように指示し、次のスライドを示し、解説をしました。

```
│ 生活言語能力 （生活場面）     ［ 1年から2年 ］

　（文脈が見える、話題がわかる、相手が
　　聞いてくれる、知っている語彙　など。）

│ 学習言語能力 （学習場面）     ［ 5年から7年 ］

　（文脈が見えない、馴染みのない話題、
　　抽象度が高くなる、知らない語彙　など）
```

　その上で、問2、問3、問4（p. 13）を解きながら、マリアにとって漢字を覚えるのが難しい理由を考え、グループ討議をします。

　さらに次の算数の課題を読み、マリアがこの問題を解くときに難しいと感じる箇所はどこかをグループ討議します。

　　ジョニーくんとさち子さんは、バスケットボールの練習をしました。
　　バスケットに入った数（シュート数）は、次のとおりです。

	投げた数	シュート数
ジョニー	25	10
さち子	10	6

　では、どちらの方がシュートできた割合が高いですか。

　　　　　　ヒント：割合 ＝ （比べられる量） ÷ （もとにする量）

グループ討議の結果を各グループから発表してもらい、数字が多い算数でも、日本語を学ぶマリアにとっては問題文を読むことが難しいということを確認します。

　最後に、以下の問6（p. 14）の課題を示し、宿題となること、「レビューシート」に回答することを伝えて、授業を終了します。

　問6　「日本語を早く習得するために、家庭でも日本語を使ってください」と保護者に言う指導者がいますが、その考えについて、あなたはどのように考えますか。

　この宿題についての学生たちは何を考え、どのように回答したのでしょうか。では、「レビューシート」を見てみましょう。

▶ **レビューシート　3回目**

問　「日本語を早く習得するために、家庭でも日本語を使ってください」と保護者に言う指導者がいますが、その考えについて、あなたはどのように考えますか。

斎藤彩香　｜　国際教養学部3年

　私は、「家庭でも現地の言葉を使って下さい。」という指導者に疑問を感じる。なぜなら、家庭の中では、現地の言葉を使えない人も多いからだ。私の場合は、発語が遅くて地元のお医者さんに家庭内でも英語を使うように指導を受けた。しかし、父親は英語があまり話せないので、結局アメリカを出て日本に帰ってきて、私がある程度日本語を話せるようになった時点で初めて父親とコミュニケーションを取ることが出来た。つまり、父親と話せるようになるまで7年近くかかった。また、家庭内で話す言葉を現地語と同じにしてしまうと、元々の出身地である国の文化なども吸収できずに終わってしまう。以上のことにより、私は家庭で話す言語まで指定してしまうのは残念だと思う。

植地丈華 ｜ 文化構想学部 4 年

　家庭内でも日本語を話させる必要はないと思います。たしかに家庭内でも日本語を使用すれば単純に日本語に触れる機会が多くなるのでより日本語を習得しやすくなるかもしれませんが、それは同時に元々家庭内で使っていた言語に触れる機会も少なくなることを意味します。この場合、家庭内でも日本語を使い続けると元々の言語の能力は高められることなく、むしろ減少する可能性が大いにあります。よって、日本語と元の言語二つを毎日話せる環境を保つことが大切だと思います。また、マリアのケースでは両親も日本語を十分に話せないことから、家庭内で知らず知らずのうちに日本語を間違って使ってしまう可能性もあると思いました。

塚本実知子 ｜ 教育学部 3 年

　これは子どもの母親か父親のどちらかが母国語を日本語としていた場合なら、その親と心から繋がる手段となり得るため、家庭内言語を日本語にする意味はあると考えます。けれど両親ともに日本語が母国語でないにも関わらず家庭内言語を日本語に変えたところで、意思疎通が上手くいかず、ただただストレスが増すばかりだと思います。ただでさえ子どもは日本という新しい環境で苦労しているので、家庭くらいは心安らぐ場所でなければ、これから先長いであろう日本での生活が苦しいものになるのではないでしょうか。

Qu Jiaxian ｜ 社会科学部・交換留学生

　家庭で日本語を使うのはもちろん練習にはなるが、具体的な状況も考えるべきだと思います。

　日本語は言語学的も特別な言語であり、使う人の年齢、性別、使う場合などによって、いろんなバリエーションが存在しています。家庭から日本語を学ぶだけでは、そのバリエーションを知ることができないまま、逆に言葉の使い方が自身に相応しくなくて、問題になる可能性もあります。例えば 10 歳の男の子がもし 40 代の母親の話し方をしているときっと何かの違和感を感じます。その上、家

庭内のメンバーが日本語の母語話者ではない場合は、間違ってる文法や発音に影響される可能性もあります。

　一方、先回の授業でも話した学習言語能力について、それは生活的な会話から簡単に得られる能力ではないと考えられます。つまり、家庭内で日本語を使っても、学校の勉強にはそんなに役に立たないかもしれません。その上、無理矢理に子どもに日本語を使わせたら、家庭内のコミュニケーションに悪影響を与える可能性もあります。

　とにかく、家庭内での日本語使用だけで日本語力を鍛えるのは絶対足りないです。各家庭は具体的な状況を見て検討すべきです。

真由 ｜ 国際教養学部２年
　第二言語が日本語である子どもたちのために、保護者が家庭においても日本語を使うことはもちろん悪いことではない。コミュニケーションの幅が広がり、使う言葉のバリエーションも増える。親が子どもの成長過程を把握することで周りと上手く馴染めているかを知ることもできる。また、日本においては日本語を習得しないと生活をしていくのが難しいのも事実である。しかし、必ずしも家庭内において日本語を使うことが子どものためであるとは限らない。母語の定義においても議論されているように、子ども自身が一番違和感なくぴったりくる言語が日本語でないならば、家庭内でも日本語を使うのは子どもの負担になることがある。日本語を習得するために子どもに負荷を与えてしまっては元も子もない。日本語が第二言語である子どもにとって、安心できる家の中では子どもの気持ちや考えを優先することが何よりも大事だと考える。

Y.T. ｜ 教育学部３年
　私は家庭内の言語も変えてしまうということには反対です。なぜなら、いくら目的とする第二言語の習得が早くなっても、母語を失う恐れがあると思うからです。その子のバックグラウンド（言葉、文化）を尊重せずに、ただ社会的に強い言語に統合させてしまう方法になり兼ねないと考えました。また、精神面でも成長期にある子

どもにとって、家庭内で慣れ親しんだ言葉が使えないということは大きなストレスになり、感情が上手く伝えられないなど、言語習得のみに限らず、その子の将来に大きな影響を与える可能性があると思います。

松原直輝 ｜ 政治経済学部 1 年

　先生の側に立つなら、こういう指導をしたくなってしまうというのは、よくわかります。言語の壁ゆえに授業についていけない生徒に早く日本語さえクリアすれば、という思いがあり、学校で生徒・先生どちらも全力でやっているなら「あとは家庭」と言うしか無くなります。また「日本語をもっと」と言われると違和感を感じる方もいるでしょうが、これが仮に常識や躾・マナーであれば納得できる人も増えると思います。「家庭でもっと」というのは「理解はできる」指導です。

　しかし、ご両親の日本語力や忙しさも考慮しなければ、ただの投げやり指導と感じます。自分が先生であれば（近くの留学生など家庭と学校以外に頼れる仕組みがなければ）授業で習ったことなどを1日5分でもいいので聞いてあげてください、と話すかなと。勿論、それ以前に保護者と「学校のことを話す時間はありますか？」などコミュニケーションをとることが最優先であることはいうまでもないです。先生は、家庭に任せるしかないですが、その過程まで丸投げしてはいけないと思います。

N.N. ｜ 国際教養学部

　私は子どもに早く日本語を習得してもらうために家庭内でも日本語を使用する必要はないと思います。特に、マリアのように家族も日本語を充分に喋れない場合は親と子どもがしっかりとコミュニケーションをとれるように家庭内の言語と外で使う言語は分けるべきだと思います。子どもたちに家庭内でも日本語を強要してしまうと、子どもと両親のコミュニケーションがしっかりと図れなくなり、学校でも家庭内でも自分の伝えたいことを伝えられず、子どもたち

はより孤独を感じてしまうのではないかと思います。また、子ども
たちが日本語をストレスを感じる言語として認識してしまえば、日
本語を習得するのが更に困難になるのではないでしょうか。

　しかし、マリアの母親と違い、両親が日本語でコミュニケーショ
ンをしっかりと取ることができ、更に長期に亘って日本で暮らすこ
とが決まっているのであれば、家庭内での言語を日本語にすること
でふだん学校以外で使用する語彙や表現を学べ、ダブルリミテッド
になることなく、子どもたちはしっかりと日本語を習得できるので
はないかと思います。

T.Y. ｜ 政治経済学部 2 年

　私は自身の経験から、家庭では家庭内の言語を使うのが好ましい
と考えています。私は小学校から上海に住み始め、中学校からはイ
ンターナショナルスクールに通い、中国語と英語を学びました。多
言語社会にいきなり身を置き、苦労している中で家庭内で日本語で
話している時間はストレスを全く感じることなく生活でき、居心地
がとても良いものでした。家庭内と学校内で使う言語をきちんと分
けることで、オンとオフの切り替えも上手く出来ていた気がして、
家で不自由なく会話出来ていた分、学校では授業内容が理解出来な
くても頑張ろうというモチベーションを保つことが出来たのではな
いかと考えています。結果的に家庭内では日本語を使うという親の
選択は自身の日本語力が維持されたということに繋がっていて、親
にはとても感謝しています。

A.I. ｜ 政治経済学部 1 年

　私はこの考えに反対です。言語習得のためにもっと色々な努力を
してほしいという指導者の気持ちは分からなくもないですが、家庭
内のことまで浸食してしまうのはあまり良くないと私は思います。
あまり強引に日本語を習得させようとしてしまえば逆に日本語を敬
遠したり、苦手意識が芽生えてしまうかもしれないからです。あく
までも自分からその言語に歩み寄らないことには言語習得に繋がら

ないと私は考えています。

キム ハヨン ｜ 教育学部 1 年
　私は日本語は使うほど上手になると思う。だが、日本語を習得するために家庭でも日本語を使いなさいと指導者が保護者に言うのはよくないと思う。日本語が母語ではない子どもたちは学校で一日中半分以上の時間を何の意味かも分からない日本語を聞く。そのため、コミュニケーションに関するストレスは想像さえできないほど多いと思う。この状態で家庭内でも日本語を使わせるとそのストレスはより多くなると思う。子どもが家庭内でも楽にコミュニケーションをするほうが学校でのストレスを減らす一つの方法だと思うため、家庭内で日本語で話す必要はないと思う。

C.S. ｜ 政治経済学部 4 年
　日本語を早く習得するために、家庭でも日本語を使うというのは、メリット・デメリットがあると思います。まず、この指導者が言う通り、学校でも家でも日本語を使用すれば、きっと日本語の習得がより早くなるというメリットがあります。しかし、第二言語である日本語しか使わないことで、第一言語を忘れてしまい、最終的には第二言語であったはずの日本語しか話せなくなってしまった、というような状態に陥る可能性が考えられます。これを良しとする家庭もあれば、自分のルーツを大切にしてほしい、第一言語を忘れないでほしい、と考える家庭もあると思います。よって、家庭で日本語を使う・使わないの判断は、各家庭で行うべきであり、指導者が指示するべきではないと思いました。

▶ **授業を終えて③**

・この授業では、日本に来る子どもは「移動せざるを得ない子ども」であることや子どもが生活や学校で直面せざるを得ない課題を学びます。実際に、子どもの立場で、子どもの抱えさせられている課題を考える体験は、学生たちにとって、新鮮なものだったようです。

・その上で、教師の立場で考える問いを出しました。学生たちの答えには、「家庭で日本語を使用するのは良い」という意見、逆に、「家庭内でも日本語を話させる必要はない」という意見もありました。その理由として、「ただただストレスが増すばかり」、「家庭内のコミュニケーションに悪影響を与える可能性」があるという意見、「親の日本語力や忙しさも考慮しなければ、ただの投げやり指導」となるという意見がありました。

・一方で、「日本語と元の言語二つを毎日話せる環境を保つことが大切」、「家庭内での言語を日本語にすることでふだん学校以外で使用する語彙や表現を学べ、ダブルリミテッドになることなく、子どもたちはしっかりと日本語を習得できるのではないか」という意見もありました。

・これらの意見を見ると、学生たちが子どもの状況や成長を多角的に、かつ長期的な視野に立って考えようとしていることがわかります。そのことを次の授業の冒頭で紹介したいと思い、準備をしました。

4.4　第4回目　ことばの学びとことばの力

4回目の授業の最初に、前回の「レビューシート」について、学生たちの意見を紹介します。次のスライドは、実際のクラスで示したものです。

A) 家でも日本語を使うのは、良い。
B) 子どもは学校で日本語を使い、ストレスを感じているはず。家では、リラックスできる言葉を使うのが良い。
C) 家庭教育に干渉すべきではない。
D) 母語力の上に、外国語が習得される。

　学生たちは、クラスの中に、多様な意見があることを改めて感じ、意見を述べていました。ここで大切なのは、異なる意見を対等に検討するという姿勢です。その上で、キーワード（p. 15）にある「二言語相互依存の仮説」

（J. Cummins）を図とともに説明し、第一言語と第二言語の密接な関係を確認します。これは、宿題を考えるとき、テキストのキーワードやコラムをしっかり読むと新しい知識が学べることを、それとなく示唆するねらいもあります。

　次に、今回の授業のテーマが、日本語を学ぶ子どもに対する日本語教育において、そもそも「ことばの力」をどのように考えたら良いのかであることを説明します。そして問いをいくつか解きます（pp. 16-17, 問1、問2、問3、問4、問5）。

　その上で、次のような例をスライドで示します。

┃ 例：食卓に置かれた紙

ゆうくん、おかえり
　冷蔵庫に昨日の誕生日のケーキが残っているから、食べてもいいよ。食べたら、遊びに行く前に、宿題を片づけなさいね。お母さんは6時までには帰るから。
　　　　　　　　　　　　　　　　　　お母さんより。

　これを見ながら、この文章は何を目的に書かれているか（置き手紙）、また誰が誰に向けて書いたものなのか（母から子どもへ）、そのことが文章のどの部分からわかるのか、文章の特徴は何か（「話し言葉」的「書き言葉」）などを、学生たちに考えるように指示します。

　その上で、私たちは日常的に「どんなことを」「誰に」「どのようにして」伝えるかを考えながらことばを選んで使っていることを説明します。そして、その選択には、社会的な文脈や考え方が反映されていることを説明します。したがって、「ことばの力」とは、「「ことば」でやりとりする力」であり、「文脈を理解し、ことばを使用する総合的な力」であることを解説します。

　そのように考えることによって、ことばの使用やことばの力ということを、部分の寄せ集めではなく、ホリスティックに捉える視点が生まれてきます。

次に、テキストの「マリアのケース③」を読むように指示し、問6、問7 (p. 19) について考えるように促します

　最後に宿題として、以下の問8 (p. 20) の回答を「レビューシート」に記入することを指示して、終了となります。

　　　問8　子どもを指導していたある先生が「あなたは、○○国から来たのだから、○○人の誇りを持って生きていきなさい」と指導しました。この指導について、あなたはどう思いますか。

　この宿題について、学生たちは何を考え、どのように回答したのでしょうか。では、「レビューシート」を見てみましょう。

▶ レビューシート　4回目

問　子どもを指導していたある先生が「あなたは、○○国から来たのだから、○○人の誇りを持って生きていきなさい」と指導しました。この指導について、あなたはどう思いますか。

斎藤彩香　｜　国際教養学部3年
　この先生の言葉は決して悪気がないものだと思うが、私なら複雑な気持ちになってしまうと思う。現地の国とは違うルーツを持つという時点でかなりの生きづらさがあると思う。先入観を何かと持たれたり、差別されたり。先生は全く傷つける気持ちがないのもわかるし、むしろ助けたいという気持ちかも知れない。しかしその先生は現地の人が多いだろう。その時私なら本音は「私を区別したり差別したりする現地の人と同じ人にそんなこと言われても、私の人生が生きやすくなるんじゃないよ」と考えてしまう。また自分自身と近いルーツの人に言われたとしても、他の学生が書いたように上からアイデンティティの押し付けられるような感覚に陥る可能性が高い。必ずしも自分のルーツに誇りを小さい時から持っているとは限らない。なので「誇り」や「アイデンティティ」というデリケートな問題を押し付けるのは、慎重になった方がその子のためになると

思う。

塚本実知子 ｜ 教育学部３年

　このような指導方法はあまりにナンセンスだと思います。最近ではLGBTQが話題になっていますが、それと同様にどの国に生まれるかは選べないのだから、必ずしもその国に対して尊敬の意や信仰心を持たなくても良いと思います。むしろ、移動する子どもだからこそその国のことを客観的に考えることが出来るので、その柔軟な思考を尊重することが教育者のあるべき姿だと考えます。

Qu Jiaxian ｜ 社会科学部・交換留学生

　私はそれが間違っていると思います。「移動する子ども」の中では、自分のアイデンティティについて色々迷っている子もいると思います。いろんな場所に行って、いろんな文化と接触して、小さい頃からグローバルな生き方をしていたが、その分自分が一体何人かと分からなくなっていきます。それは子どもがこれから自分で探らなければならない課題だと私は思います。アイデンティティは出身地や国籍だけで決められることではありません。無理やり押し付けるものでもありません。先生としては、その子ども自身の気持ちを尊重し、その答えを一緒に探してあげるべきです。アイデンティティはどの国から来ているのかに関係なく、その子が自分ってどんな人やどんな人になりたいかについての考えであります。

真由 ｜ 国際教養学部２年

　何かについて誇りに思うということは本人の自由であり、強制されることではないと考える。さらに、グローバリゼーションが進んだ世の中では、何人と規定することさえも違和感がある。例えば、アメリカで生まれた子どもが、幼いころに日本に移住した場合、彼はアメリカから来たということになる。しかし、彼自身が日本という国に自分の本質を見出した場合、彼に対し「アメリカから来たのだからアメリカ人の誇りを持って生きていきなさい」と指導するこ

とは、いくら先生でも、彼自身で決断することであるため口を出すことは許されない。また、両方の国に対し誇りを持つことも選択肢の一つとして受け入れられるべきである。思想に関しては本人が成長とともに深く考え構築していくものであるため、他人がとやかく言うべきではない。

松原直輝 ｜ 政治経済学部 1 年

　基本的には小学生などの子どもへの指導としては間違っていると思います。まず、子ども・大人に関係なく自分のアイデンティティに国籍を含めるか、そのタイミングは各個人が決めることで、それについて指導するのはおかしいように感じます。次に、伝えられる子ども側の立場にたった「ことば」ではないですし、第三者的には自我の成長途中である子どもに対して大人の押し付けにも見えます。

　しかし先生なりの文脈というのも考慮すべきです。その子どもが心細く感じている、国籍に関するいじめ・差別を受けているなどの状況を受け「勇気付けたい」「自信をもってほしい」という意図があったのかもしれず、全否定される指導でもないように感じます。

　それゆえ、先生側は伝え方をより慎重に考えるべきだったと思います。「他人と違っていい」という指導は僕個人はとても大切な教育の柱と思いますが、伝え方次第で子どもへの影響は大きく変わってしまいます。また、その子どもが日本語を母語にしないのであれば、先生の真意はさらに伝わりにくくなるので、さらに慎重に言葉を選ぶべきと思います。

N.N. ｜ 国際教養学部

　個人のアイデンティティ形成は母国にのみ影響されるわけではないと思うので、このような指導方法には私は反対です。その人が歩んできた道、経験してきたことがその人のアイデンティティを形成するのであって、生まれた国そのものが人のアイデンティティを構成するとは思いません。たとえ私が、日本人としての誇りを持ちなさい、という指導を受けたとしても、「日本人としての誇り」とは具

体的にはどのようなものなのかわからず悩むのではないかと考えました。子どもに「○○人としての誇りを持て」と押し付けてしまうと、○○人としての誇りとは何だろうと悩ませ、更には悩んでいる自分にコンプレックスを抱かせてしまうのではないでしょうか。比較的簡単に移動することができる今、「○○の国から来たのだから」、と母国に囚われた指導方法はよくないのではないかと思います。むしろ、子どもたちには自分のバックグラウンドや経験してきたことを振り返る時間を設け、同じ生活環境の中にも様々なバックグラウンドを持った人がいることを知る機会を与えてあげる方が大切なのではないかと思います。いろいろな経験をしてきた人たちと触れ合うことで子どもたちは、自分が周りと違っていてもいいんだと認識でき、自分の暮らしている場所が自分の居場所だと考え、そこから自分のアイデンティティを構成し、誇りを持っていくのではないでしょうか。

T.Y. ｜ 政治経済学部 2 年

　教科書の問いにあるような指導法は○○国から来たために○○人としての誇りを持って生きなさいという因果関係そのものについては反対で、また、強制させるのは良くないな、という思いはあるものの、○○人としての誇りを持って生きてほしいという考え方そのものには賛成出来ます。

　私は上海に住んでいた頃、小学校時代の担任に、"上海に住んでいる人々は皆んなあなたたち一人一人に対する印象を日本人に対する印象として記憶する。だからあなたたち一人一人は全員日本人代表としての責任を持って行動するように。"と言われたことがあります。その言葉は小学校卒業後も印象強く残り、常に日本人代表として責任感や誇りを持つようになり、結果日本人としてのアイデンティティを持つことが出来たと考えています。

A.I. ｜ 政治経済学部 1 年

　どこの国から来た、どこの国で生まれた、などの要素がアイデン

ティティに直結するという考え方は強制されるべきではありません。よって私はこの指導に反対します。もしこの指導を認めてしまうと、逆に「メキシコ出身だけど心は日本人」であったり「シンガポールに住んでいたけど日本人として生きていきたい」などと考えている人の全否定にもなってしまいます。その人が何人であるか、何人としての誇りを持っているのか、などのアイデンティティは他人が決定できることではないと私は思っています。それの決定権はその人自身にしかないと思います。

キム ハヨン ｜ 教育学部１年
　「○○国から来たから、○○人の誇りをもっていきなさい」と先生から言うのは批判しづらいが、良いことでもないと思う。私の友だちは在日であり、国籍は韓国だが、日本で生まれて日本でずっと育てられた。友だちは自分で自分が「韓国人」であることを知っているが、どこから見ても「日本人」である。友だち自身も自分が国籍以外は日本人と違いがないと思っている。友だちも親から韓国人としての誇りをもっていきなさいと言われたことがあるが、韓国人や日本人という国による人種区別がそこまで重要なのか理解してない。自分の国を愛して誇りを持つこともいいことであると思うが、そうではない人に批判はできないと思う。

C.S. ｜ 政治経済学部４年
　１ヵ国以上での生活経験がある子にとって、自分の帰属意識は決して出身国のみではないため、問題文にある指導法には懐疑的な立場です。私は、小学校・中学校時代をアメリカで過ごしたため、アメリカを第２の故郷のように思っています。アメリカに住んでいたからこそ学んだことも多くあり、自己形成の過程では欠かせない存在だったと思います。勿論、日本人としての誇りは強く持っていますが、それだけでなく、第２の故郷の誇りも私の中にはあります。よって、○○国出身だから○○国の誇りを持つべきだ、という理論は、特に複言語社会で育つ子には強制するべきではないと考えます。

▶ 授業を終えて④

- この回の授業は、「ことばの力」とは何かを考える重要な回です。「単語や漢字など、言語知識だけではコミュニケーションはできない。文脈を含むホリスティックな視点から「やりとり」を捉えることが大切である」という点を説明しました。

- 特に、幼少期より複数言語環境で成長する子どもの「ことばの力」、「ことばの学び」をどう捉えるかは、子どもの日本語教育でとても重要なテーマです。同時に、子どもの「国」や「アイデンティティ」をどう捉えるかも大切なテーマです。これも、学生たちにとっては、難しい課題です。

- 「誇りを持って生きていきなさい」という指導法に対して、学生たちも違和感を持ったようです。「私なら複雑な気持ちになってしまうと思う」とある学生は戸惑いを書いています。また別の学生の中には「移動する子どもだからこそ、その国のことを客観的に考えることが出来るので、その柔軟な思考を尊重することが教育者のあるべき姿だ」、あるいは「アイデンティティはどの国から来ているのかに関係なく、その子が自分ってどんな人やどんな人になりたいかについての考え」であると述べる学生もいました。

- 一方で、「「勇気付けたい」「自信をもってほしい」という意図があったのかもしれず、全否定される指導でもない」し、「先生側は伝え方をより慎重に考えるべきだった」と分析する学生もいます。また、「○○国出身だから○○国の誇りを持つべきだ、という理論は、特に複言語社会で育つ子には強制するべきではない」という意見まであります。

- 注目するのは、学生たちは、それぞれが自分の体験や身近な例から考え、自分の意見を構築している点です。だからこそ、それぞれの意見が説得的です。その点を、次の授業へつなげたいと思いました。

4.5 第5回目 海の向こうで日本語を学ぶ子どもたち

　5回目の授業の最初に、前回の「レビューシート」について、学生たちの意見を紹介します。次のスライドは、実際のクラスで示したものです。

> **宿題：出身国の誇りを持って**
>
> アイデンティティは、強制できない。押しつけるものではない。
> 介入するものではない。
> 自分の所属が、アイデンティティになる。
> 成長とともに構築していくもの。
> 子どもには、慎重にことばを選ぶべき。
> アイデンティティの安定的な確立のために、この指導は有効。
> 新しい国に馴染めず、ナーバスになっている時、励ましの言葉になる。

　今回も、この（テキストにある）「指導」に対するさまざまな意見が寄せられました。クラス内の多様な意見を提示することが大切です。どの意見も一つの意見として対等に扱うことを重視しました。なぜなら、学生の意見のうちどの意見を取り上げ、どのような順番で提示するかに、教員の意識や価値観、認識などが反映されるような、いわゆるバイアスがかかる可能性があるからです。したがって、教員からこの意見が良く、この意見は間違っているなどのコメントは控えるべきでしょう。

　その上で、このタイミングで、映像資料、短編映画「生まれつき（Born with it）」[3] を上映します。アフリカ系黒人の父と日本人の母のもとで生まれた黒い肌の少年ケイスケが転校した小学校で日本語で自己紹介すると「なんで日本語、話せるんですか」とクラスメートから聞かれ、「日本人だから」と答えるとクラスから「エーッ」と声が上がる印象的なシーンから始まる映画で、外国人に対する根強い偏見や差別を考えさせる内容になっています。今、同じような身体的な特徴を持つ八村塁選手、大坂なおみ選手、サニブラウン選手などが活躍している今だからこそ、この映画は、多様な背景を持つ人々の生とアイデンティティ、そして共生社会を考える優れた教材と言えるでしょう。

　次に、今回の授業は、日本以外の国で日本語を学ぶ子どもたちがテーマであることを説明します。前回まで、マリアのように、日本国内で日本語を学

3　監督・脚本 Emmanuel Osei-Kuffour の 2014 年の作品。

ぶ子どもを扱ってきましたが、日本国外で日本語を学ぶ子どもがいることに視野を広げることをねらいとしています。特に、このクラスのように、海外で生活したり、補習授業校で学んだりした経験のある学生の多い場合、このテーマは自分たちの経験を考える上で重要です。

　最初に、アメリカのポートランド日本人学校（日本語補習授業校）の「応援歌」をテキスト（p. 22）で読むように指示します。その一部を、紹介しましょう。

(1)

　金曜日いつもなぜだか
　宿題たまる
　パーティ　デート　おことわり
　サイン　コサイン　タンジェント
　古文　漢文　いとおかし
　ちんぷんかんぷん　われ思う
＊ああ　ラクじゃない
　ラクじゃないったら　ラクじゃない
　日本人やるのも　ラクじゃない

(2)

　気をつけて　右と左じゃ
　書き順ちがう
　たし算　ひき算　九九　分数
　プリント何枚やればいい
　現地校じゃ　天才児
　補習校じゃ　問題児
＊くり返し

（ポートランド日本人学校 WEB サイト
http://www.shokookai.org/gakkou/seikatu/kouka.html 再録）

　授業では、ここに描かれた子どもたちがどんな子どもたちなのか、なぜ「現地校じゃ　天才児、補習校じゃ　問題児」なのか、また現地校で英語を使って教科を学ぶときの困難点を考える、テキストの問いを考え、グループ討議をします。ここでは、日本から突然海外の現地校に編入した経験のある学生の発言もあり、クラスでの議論も活発になりました。授業後、「実は、私はあの補習校にいました」とこっそり言ってくる女子学生もいて、驚きました。

　次にテキストの「アメリカで生まれたケンのケース①」を読みます。ここでは、小学校に入学後、英語が中心の生活を過ごすケンが、補習校へ通うの

がつらくなるというエピソードが綴られていますが、「どうして補習校へ行くのがつらくなってきたのでしょうか」（問5）を、グループ討議、そしてクラスで共有します。

さらに「アメリカで生まれたケンのケース②」では、アメリカから父親の祖国へ移動したケンが、日本語、英語、父親の第一言語の中で、日本語を話さなくなるエピソードが紹介され、ケンが直面する課題について、意見交流をしました。

最後に宿題として、次のスライドを見せます。

あなたのソウル・フード*は、何ですか。

* Soul food. アフリカ系アメリカ人の料理の総称から、転じた語。あなたにとって大切な食物、料理。

このような宿題を出したのは、前回の授業まで「ことば」や「アイデンティティ」に関わる重いテーマの問いが続いたので、少し「変化球」を投げてみようと思ったからです。食べ物にまつわる思い出は誰でもあるでしょうし、答えやすい。でも、よく考えると、自分の成長やアイデンティティとも関わる記憶が蘇り、自分と向き合うことになるかもしれないと思いました。すると、さまざまな意見が飛び出しました。

では、どんなソウル・フードとどんな思いが出てきたか、「レビューシート」を見てみましょう。

▶ レビューシート　5回目

問　あなたのソウル・フードは、何？

斎藤彩香　｜　国際教養学部3年
　　私にとってのソウルフードは母親が作る筑前煮だ。

私の父親は九州から、私の母親は北陸から上京してきた。私の母と父は病院の研修があった際に出会った。そこで母は父を少しでも喜ばせようと、九州の郷土料理である筑前煮を一生懸命練習して、よく料理を出したそうだ。

　その後私が生まれて、ご飯を食べれるようになったらすぐに筑前煮をよく出したそうだ。そして1歳の時にボストンへ引っ越したが、母は私が日本の料理を忘れないようにと、家から遠い日本食レストランで食材を買ったらしい。

　もう成人して実家を離れた後も、帰省をすると必ず筑前煮を母親は出してくれる。

　ふだん東京や外国にいると、自分が何者かよくわからなくなってしまう。しかし、郷土料理というのは自らのルーツを思い出すのには、とてもいいことだと思う。

植地丈華　｜　文化構想学部4年

　私にとってのソウルフードは複数あって1つだけに絞ることはできませんが、その中のうちの1つに母が作る麻婆豆腐があります。その麻婆豆腐は一般のものとは見た目も味も異なっています。汁を少なめに、豆腐を細かくして少しピリ辛に作られた母お手製の麻婆豆腐は「小さい子どもでもごはんと一緒に食べやすいかたち」「辛いのが好き」という子どもたち（私たち姉弟）の要望に沿ってアレンジされたものです。あの食感、味は母しか作れない、という意味もあり私の中ではより特殊な料理、食べると小さい頃を思い出す料理、という意味も込めてソウルフードだと言えると思います。

塚本実知子　｜　教育学部3年

　私のソウルフードはから揚げです。小さい頃は、お弁当にから揚げが入っているとすごくテンションが上がっていました。アイルランド留学中に、から揚げがどうしても食べたくなり、KFCでチキンを食べましたが、やはり日本のから揚げとは全然違い、早く帰国してチバチャン（お店の名前）でお腹いっぱいになるまでから揚げを

食べまくりたいと思っていました（笑）。

Qu Jiaxian ｜ 社会科学部・交換留学生
　私は食べ物にあまりこだわらない人です。アメリカに 2 年半に住んでいて、同じく中国からの留学生がみんな本物の中華料理が食べたくて食べたくて仕方がないと言っていて毎週中華料理店に通っていたが、私は便利さを求めて、いつも食堂で食事を済ませていました。
　子どもの頃から両親が共働きしててあまり自炊する時間がなかった上、高校に入ってから学校の寮に住むことになり、ずっと食堂でご飯を食べていました。アメリカの大学でたまに自炊するが、チャイナタウンより日本系のスーパーが近いから、どちらかというと日本料理っぽいものを作っていました。
　すぐに思い付くソウルフードや思い出の一品とかはないが、味がしない大きいステーキと冷たいサラダにはどうしても慣れなかったです。中華料理にはこだわらないが、やはり旨味のある暖かいおかずとご飯のコンビが一番落ち着きます。

真由 ｜ 国際教養学部 2 年
　私のソウルフード（郷土料理）はたこ焼きだ。私自身も両親も大阪出身で、小さい頃から母が手作りをしてくれ、熱々のまま食べる習慣がついた。やはりソウルフードというのは幼い頃から家庭に出されることにより確立することが多い。手軽に作れるだけでなく、その土地柄手に入れやすいものであったり、両親が昔から口にしてきて継承してきたものであったりと住んでいる環境や周囲の人々に大きく影響される。コンビニなどで手軽にご飯が買える時代においてソウルフードというのは確立しにくいものなのかもしれない。しかし、ソウルフードは何も家庭内に限ったことではなく、給食に出てきたものであったり、近くで売っている地元のものであったりと、何でもよい。私にはこれとはっきり呼べるソウルフードがある。これをさまざまな人と共有し、また、相手からも教えてもらうことに

よって食文化を通し互いのアイデンティティについて知っていきたいと思う。

Y.T. ｜ 教育学部 3 年

　私にとってのソウルフードは、地域の特色が出た料理名というより、祖母が作ってくれた醤油味の濃い甘い煮物である。地域ごとの食事というよりその家庭の特徴が、味付けなどの細かいところで出るのではないだろうか。

松原直輝 ｜ 政治経済学部 1 年

　「ソウルフード＝家庭の味」のイメージがあったのですが、よく考えると、働いている母があまり家庭料理には熱心でなかったせいか（これを聞かれたら母に怒られそうですが笑）家庭的なソウルフードが思いつかず、「これはソウルフードではない」という否定の"程度"でしか自分にはわかりません。たとえばトムヤムクンは"間違いなく"ソウルフードではないですし、お好み焼きも（トムヤムクンに比べれば近いですが）"おそらく"ソウルフードではありません。このように 1 つずつ相対的に検証すると白飯が最後に残るのかなという気がします。

　別の視点から何かないかなと考えたところ、ニュージーランドに旅行に行った際、どこのホテルにもほとんど置いていない白米と生野菜を見た時に「今のうちに食べておかねば」という衝動に駆られたのを思い出しました。海外での長い生活経験がないため、想像になってしまいますが「長い間食べておらず、ふと目に入ったり、思い出したりした際に急に食べておきたくなるもの」というのがソウルフードなのかなと感じました。

N.N. ｜ 国際教養学部

　私のソウルフードは何か考えた時に真っ先に浮かんだのは母に毎日作ってもらっていたお弁当に必ず入っていた玉子焼きでした。ソウルフードを郷土料理と訳して考えたとき、玉子焼きは郷土料理で

はないのでは、とも思いましたが、食べなれた味、どこかホッとする味や食べ物という捉え方で、私のソウルフードは玉子焼きかな、と思いました。海外での滞在期間が長かったにも関わらず、ソウルフードが日本食ということに少し驚きましたが、母が家で作る料理の多くが日本食だったからかなと思います。

T.Y. | 政治経済学部2年

　私にとってのソウルフードはお味噌汁です。私は長期的に海外に住んでいたのですが家庭内での料理は基本的に和食で、朝食は毎日白米とお味噌汁がありました。このことから自然とお味噌汁が食卓にあるのがあたりまえになり、暫くお味噌汁を飲んでいないと無性に飲みたくなってしまいます。そのため海外旅行等で長期間日本を離れる際はインスタント味噌汁を持ち歩いたり、現地で和食レストランに行きお味噌汁を注文したりしてしまいます。

A.I. | 政治経済学部1年

　私にとってのソウルフードはおにぎりです。私は日本でしばらく暮らした後渡米し、中学3年生までアメリカで育ちましたがどこにいてもおにぎりは私に欠かせないものでした。現地校にお弁当を持っていくときも必ず母におにぎりをつくってもらい、日本に帰国してからも高校のお昼では毎日のようにおにぎりを食べていました。渡米する前に日本でしばらくの間暮らしていたこともあって、食の基盤は既に日本で出来上がっていたからかもしれません。

キム ハヨン | 教育学部1年

　やはり私のソウルフードは韓国料理だと思う。その中でもテンジャンチケかな。好きな食べ物は多いが、韓国に帰ったらおばさんが作ってくれたテンジャンチケが食べたくなる。おかしいのは母でもなく、店で売ってるものでもなく、おばさんが作ってくれたテンジャンチケが食べたい。なぜか味が違うのだ。永遠に食べられないことが、よく食べられないことが悲しい。

▶ 授業を終えて⑤

・ ソウル・フードという「変化球」を学生たちはどう打つか。食生活は、当然、幼少期から続いているものですが、だからこそ、自分の記憶とつながっている点が興味深いものです。たとえば、ある学生は海外で暮らしていた幼少期に、「母は私が日本の料理を忘れないようにと、家から遠い日本食レストランで食材を買ったらしい」と思い出します。

・ ある学生は「海外での滞在期間が長かったにも関わらず、ソウルフードが日本食ということに少し驚きました」と自分を振り返ります。逆に、韓国から幼少期に来日した学生は、「やはり私のソウルフードは韓国料理だと思う」と言います。中国で育ったある留学生は、「中華料理にはこだわらないが、やはり旨味のある暖かいおかずとご飯のコンビが一番落ち着きます」と言います。

・ このようなソウルフードという切り口から、「さまざまな人と共有し、また、相手からも教えてもらうことによって食文化を通し互いのアイデンティティについて知っていきたいと思う」と、自己理解だけではなく、他者理解と相互理解へつなげたいと言う学生もいました。食とアイデンティティの意外な結びつきを感じたようです。

4.6 　第6回目　ことばとアイデンティティ

6回目の授業の最初に、前回の「レビューシート」について、学生たちの意見を紹介します。次のスライドは、実際のクラスで示したものです。

・白米、ご飯（おにぎり）と味噌汁
・鯵（あじ）のなめろう、から揚げ、カレー、筑前煮、たこ焼き、玉子焼き
・コロッケ、おからクッキー、讃岐うどん、麻婆豆腐、アイスクリーム
・中華料理、温かい料理
・母の作ってくれた料理、祖母の作ってくれた料理
・父の作ってくれた料理
・幼い頃、記憶、匂い……

このスライドを見せながら、「この食べ物を書いた人は誰ですか？」と問いかけ、その学生がいれば、なぜその食べ物が自分にとってのソウル・フードなのか、その理由を簡単に説明してもらいます。このささいな問いかけも、学生は自分が書いた「レビューシート」の内容が教員や他のクラスメートに読まれ、受け入れられていることを実感します。

最後に、これらのソウル・フードに共通することは何か、またソウル・フードはアイデンティティと関係するのかどうかを問いかけます。その答えは出なくても、食物もアイデンティティの一部をなすかもしれないという新たな気づきが学生たちの中に生まれたと思います。

次に、今回の授業のテーマは「ことばとアイデンティティ」であることを説明します。その上で、テキストにある問い、「幼少期より複数言語環境で成長する子どもは、自分のことをどのように考えているのでしょうか」を読み上げます。

その上で、テキストの「アメリカで生まれたケンのケース③」を読んで、問いに答えるように指示します。このエピソードの中で、ケンは日本のマンガやアニメを見るのが大好きで、将来は日本の大学へ進学したいという希望を語りますが、最後に、「僕は何人なのか、よくわからなくなることがあります」と述べています。そして、テキストの問いは、「ケンくんがあなたにアドバイスを求めてきたら、あなたはどのように答えますか」（問 1、p. 28）と言います。

グループ討議を経て、クラス全体で、「ことばとアイデンティティは関係しているのでしょうか」という問い（問 2、p. 28）についても意見交流をします。そして、その流れで、テキストのコラム③「Hana さんのスピーチ」（本書 pp. 61-63 参照）を読み、グループ討議をするように指示します。

この回のテキストの「キーワード」に「多言語・多文化主義と複言語・複文化主義」「アイデンティティ」の説明があるので、補足説明として、次のスライドで解説します。

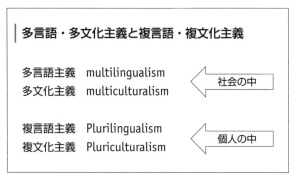

また、アイデンティティについては、これまでの授業内容やクラスで出た意見を整理して提示し、意見交流ができるように、以下のスライドで解説します。

> **アイデンティティって、何？**
>
> 「あなたは○○国から来たのだから、○○人として生きて」
> 　　　→国籍、出生地、生育環境
> 　　　→成長していく中で、形成されるもの
> 「あなたのソウル・フードは何？」
> 　　　→家族、幼少期の生活、家族の歴史
> 　　　→記憶、匂い
> 「生まれつき」（映画）
> 　　　→「自分が思うこと」と「他者が思うこと」の間の意識
> 　　　→移動、身体性

その後、さらに、アイデンティティの捉え方についても、時代によって変わってきたことを解説します。

アイデンティティとは

捉え方の変化

　自己同一性、青年期の心の問題　アイデンティティの確立：○○人
　「完成」「固定的」「不変」→「未確立」「揺れ」は「問題」

　　　↓

　「あるもの」ではなく、「なるもの」
　「未完なもの」「動態的」「複合的」→社会的に作られる、
　　　　　　　　　　　　　　　　　　　　他者との関係性、
　　　　　　　　　　　　　　　　　　　　人生の軌跡

　幼少期より複数言語環境で成長したHanaさんのスピーチ（テキストpp. 29-30）は、次のスピーチです。

Hanaさんのスピーチ

私はハナ人

トムソン　華（Hana Thomson）

「あのう、ハナさんは何人ですか？」

　そう聞かれてもちょっと困ります。

「え〜と、私は二歳の時からオーストラリアに住んでいますけど、もともと、シンガポールで生まれて、父はアメリカ人で、母は日本人で、祖父はスコットランド人で、…」

　答えが長くなってしまいます。

　そして、思います。私は何人なのでしょうか？　私のアイデンティティは何なのでしょうか？

　自分のアイデンティティのことを考え始めるようになったのは去年のことです。考え始めてまず思ったのは、自分がとても運のいい人間だということです。私はオーストラリア生まれではありませんし、顔

を見ても一般的にいう「オーストラリア人」には見えません。でも、学校や大学では一度も人種差別を経験したことはありません。オーストラリア人ではないからということで友達ができなかったこともありません。それに、「ハーフ」だということは悪いことではなく逆にプラスの特徴だと思われることが多いです。それは、私が運よくシドニーのような多文化の都市に育ち、運よく人種差別のない学校や大学にかようことになったからだと思います。ありがたいです。ですが、皆そんなに運がいいわけではありません。

　私は去年、早稲田大学で「移動する子どもたち」というパネルディスカッションに参加しました。そこには両親が韓国人なのに日本で育った人、日本人なのにアメリカに住んでいた人、私のような「ダブル」の人もいました。そこでは「ハーフ」という言葉がマイナスの意味をもっていると思われていたので、代わりに「ダブル」という言葉を使っていました。みんな、国の間、言語の間、そして学校の間を移動する子どもたちとして育った人たちでした。そこで気付いたのは、この人達は「移動する子どもたち」というより「移動をさせられた子どもたち」なのではないかということでした。

　その中の一人、両親が日本人でアメリカに住んでいた女性は自分のつらい思い出を話してくれました。日本人を見たことがない同級生にいじめられたり、アメリカに住んでいるのに英語が上手じゃなかったことや、日本に行っても日本語も上手に話せなかったことが特につらかったそうです。両方の言語がきちんと話せなかったので、この女性は自分はアメリカ人でも日本人でもないような感じがしたそうです。この話を聞いて自分の運のよさに気づきました。確かに私は日本語で自分の言いたい事がじゅうぶんに伝えられない時はとてもイライラします。ですが、日本語が話せなくてもまだ英語には自信を持っています。ですから、この女性に比べたら、そんなにつらい思いはしてきていません。

　それに、この女性の言ったもう一つのことが気になりました。それは、「その国の言語が話せないから自分はその国の人ではない」という

考え方です。私は日本語は 100 パーセントは話せません…ということは日本人ではないのでしょうか？ そうは思いたくありません。私の母は日本人です。私は頑張って日本語を勉強しています。日本に行くと、おばあちゃんとおじちゃんが待っていてくれます。日本人の友達と話すときはいつも日本語で話しますし、「マジで〜」や「ヤバイよ〜」とか言います。それに、私は日本が大好きです。日本に行くとオーストラリアに帰るときと同じように自分の国に帰ってきたような感じがします。やっぱり、私は日本人です。同じように、アメリカ人ですし、オーストラリア人でもあります。

　では結局私は何人なのでしょうか？「ハーフ」なのでしょうか、「ダブル」なのでしょうか？ もしかして、「トリプル」かもしれません。アイデンティティは何なのでしょうか？ 私は、国籍も言葉も自分の心が感じることも自分のアイデンティティだと思います。周りの人が何と言っても、私、トムソン木下華は自分がオーストラリア人でアメリカ人で日本人だとわかっているので、それはそれでいいのだと思います。私は移動する子どもたちが皆このように自分らしく生きていけるといいと思います。そして、「ハナさんは何人ですか」と聞かれたら、新しい言葉を作っちゃったらどうでしょうか。「私はハナ人です！」

［引用］川上郁雄（2012）『移民の子どもたちの言語教育──オーストラリアの英語学校で学ぶ子どもたち』オセアニア出版社.

　このスピーチが掲載されているテキストの問 3 には、次のように書いてあります。

　　　オーストラリアの大学で日本語を学ぶ Hana Thomson さんのスピーチです。Hana さんのスピーチを読んで、あなたがこのスピーチに対する感想を伝えるために Hana さんへ手紙を書くとしたら、どんなことを書きますか。

　この問 3 に答えることを、宿題として提示し、授業を終了します。学生

たちが Hana さんへどんなメッセージを書いたのか、「レビューシート」の回答を見てみましょう。

▶ **レビューシート　6回目**

問　Hana さんに手紙を書こう。

斎藤彩香 ｜ 国際教養学部３年
　ハナさんのお手紙を読んで、ハナさんは運がいいから人種差別にあったことがないのではなく、ハナさん自身のポジティブさが周りの人を惹きつけたのだと思います。たとえば「その国の言葉が話せないからその国の人ではない」という考え方に疑問を感じていますが、ハナさんのポジティブさが出てきているのだと思います。ちなみに言うと私も同感です。私は小学生まで日本語をいまいち話せなかったのですが、日本のパスポートは持っているし、漢字で自分の名前を書けたし、片言だったけど、日本人のお友だちも多かったです。
　でも、ハナさんとは意見が違うところが一つあります。それは「移動をさせられた子どもたち」という表現です。なぜかこの言葉にはポジティブさが無いです。私も日本からアメリカへと「移動させられた子ども」です。しかし、私はあまり「～させられた」という被害意識を持ちたくないな、と思います。なぜなら、移動したことで得られたことも多いからです。例えば、西洋の文化の理解が深まったり、違う言語で考えたりもできるからです。「移動をさせられた子どもたち」が少しでも「移動はしたけど、良かったこともあったな」と思えるように将来子どもを支援したいです。

植地丈華 ｜ 文化構想学部４年
　ハナさんのスピーチを読みました。誤解を恐れずに述べると小さい頃からずっと私の将来の夢はハーフであり帰国子女でした。大きくなってその二つのどちらにもなれないことを知っても複数の国籍、言語、文化を共有する人に対しての羨望はやみません。ハナさんの

スピーチを読んだ正直の感想は「羨ましい」でした。きっといくら恵まれた環境で育ったとはいえ、人よりは自分のアイデンティティについて考える時間も、自分がどういった人なのか悩む時間も多かったと思うし、一国だけでないバックグラウンドを持つことはポジティブなこともあれば心身にダメージを受ける経験をされたこともあったかもしれません。でもそれでも私はその分人よりも視野もコミュニティも広くて、多くの人と交流できる機会と環境を持ったあなたがとても羨ましいと思いました。いろいろな人の見解や意見を聞いて、自分で考えた末に決めた「ハナ人」という生き方、その答えをもって広いフィールドに立つハナさんがとても輝いて見えます。

塚本実知子 ｜ 教育学部 3 年
　「私はハナ人」という題名から惹きつけられました。私はハナさんと対照的に、日本人の両親のもと、日本で生まれ日本で育ちました。正直、私は自分自身のアイデンティティに悩んだことはあまりありません。しかしそれは、「日本人」という自他ともに認める枠組みに頼りすぎているからだと思います。私の何十倍も苦しみ、思い悩んだ末に「ハナ人」というアイデンティティを確立したハナさんは本当に立派ですし、勇気のある方です。ぜひ今度、私のような移動をあまりしたことのない子どもたちに向けて、自身の経験を話して頂きたいです。世界が日本しかなかった子どもたちに、日本や自分を客観的に捉える良いきっかけになると思います。

Qu Jiaxian ｜ 社会科学部・交換留学生
　ハナさんとは違って、私はハーフでもないし、「移動する子ども」でもないが、アイデンティティに対する迷いは同じものでした。
　両親とも中国人で、18 歳までずっと中国にいた私にとって、アイデンティティが曖昧になるはずはなかったのに、今の私は「中国人」というアイデンティティは少し物足りない気がします。元々日本のポップカルチャーが大好きで、どちらかと言うと中国より日本の流行りの方が知っていて、その上アメリカの大学に通っているの

で、中国の大学生よりアメリカの大学生との方が話が通じます。それでも自分は決してアメリカ人でもないし、日本人でもありません。自分は一体誰なのかとずっと迷っていました。

　ハナさんのスピーチを読んだら、そんなに悩まなくてもいいと思いました。運がよくていろんな文化と接触する機会があったから今の自分がいます。既存のカテゴリーに属さないのも決して悪いことではありません。特別だからこそ簡単に定義できないのです。これからは「私は私だから」と誇りを持って生きていきたいと思います。

真由 ｜ 国際教養学部 2 年

　私自身も英語が自分の中で納得できる部分まで到達していないと考えていたため、自身がアメリカに 4 年間住んでいたと公表するのはとても羞恥を伴うものでした。さらに、日本語も部分的に単語を間違えてしまったり、両親からアクセントの間違いを指摘されたりと自信がなくなっていく一方でした。私の心の整理の付け方はハナさんと近しいものがあります。言語において個人的に重要だと考えたのは意志です。言語とはあくまでコミュニケーションのツールとして存在していると考え、相手と会話をすることに重きを置き、間違っていたとしてもわかればよいというようにハードルを下げました。ハナさんの考え方には非常に共感しました。自身のアイデンティティを一つに絞らなければならないというきまりは存在しません。複数のルーツがあっても何の不思議もありませんし、逆に一つに定めたいと考えたのであればそれも選択肢として何の問題もありません。私も最終的には自分が他人と違って当たり前ということを心の底から受け入れるということが一番大事だと考えます。

Y.T. ｜ 教育学部 3 年

　「『移動する子どもたち』というより『移動させられた子どもたちではないか』」というハナさんの考えに、ご自身や周りの方の経験の中で自分のアイデンティティの揺らぎ、葛藤があったかということが示されていると思いました。その葛藤を超えて、ご自身を「ハナ

人」と言い切られている姿から、私たちが日ごろいかに勝手に人を
〇〇人というカテゴリー分けをしていたかに気づかされました。そ
もそも〇〇人というような線引きは他者からされるものではなく、
そのボーダーも曖昧なものだと思います。「私がこう思う」というこ
とこそがアイデンティティだと思います。そのアイデンティティに
揺らぎを起こさせてしまっているのは、当事者ではない周りの偏っ
た見方によるものだと思いました。

松原直輝 ｜ 政治経済学部 1 年
　貴重なスピーチありがとうございました。今回のスピーチは「自
分とは？」という問いを自分なりに見直すきっかけになりました。
Hana さんや、様々なルーツを持つ方は、この問いを、自然に・受
動的に考えざるを得ない状況になること、それに比べると僕は何と
なく気楽に考えていたことに気づかされました。
　違いを考えた際、それは周りから「あなたは誰？」という不思議
な目で見られたことがあるかどうか、であるのかなと考えます。日
本にうまれ同級生にも近しい存在しかいなかったために、今まで「自
分はまあ自分でしょ」とか「自分で決めればいいか」と（僕は）ア
イデンティティを捉えてきただけなのかなと。
　「自分とは？」という問いは、誰しも「自分は自分でしかない」と
いう結論に達するまで悩み続けるしかないものと「ざっくり」とし
か見ていなかったのですが、人によってその「過程」の中にさまざ
まな葛藤と他者が大きく関わっていること、とても勉強になりまし
た。座学で「アイデンティティとは？」と定義やその経緯をただ聞
くだけでは、決して想像できない範囲を教えていただいた気がしま
す。

N.N. ｜ 国際教養学部
　素晴らしいスピーチをありがとうございました。私自身も幼い時
から長期に亘って海外に滞在していた経験があり、ハナさんのよう
に何人なの？という質問に上手く答えられなかった経験があります。

私の知人にもアメリカに滞在していた時に現地校のクラスメートから「外国人」として見られ、日本に帰国してからも「海外から来た人」という認識をされ、母国である日本でも、10年以上暮らしてきたアメリカでも「その国の人」として見てもらえず、自分のアイデンティティについて悩んだことがある、と話してくれた人がいます。当時の私は彼女にどのような言葉をかけてあげたらいいのかわからなかったのですが、ハナさんのように「国籍も言葉も自分の心が感じることもアイデンティティ」と言ってあげられたらよかったな、と思いました。「移動する子どもたちがみんな自分らしく生きていけるといい」、その通りだと思います。子どもたちが自分らしく生きられるよう私達にできることは何なのか、それはこのように自分のアイデンティティについて悩んでいる人が大勢いるということの認知を広めることなのではないかと思いました。そうすることで、自分もそうだった！と自身の経験を語ってくれる人も多くなり、アイデンティティについて悩んでいるのは自分一人ではないのだと子どもたちに気づかせてあげられるのではないのでしょうか。

 T.Y. ｜ 政治経済学部 2 年

　私自身アイデンティティについて考えたことがあり、ハナさんに共感できる点、納得させられる点がたくさんありました。

　私は中国と日本のハーフで、尚且つ親の仕事の都合上長期間上海で暮らしていたのですが、家庭では日本語しか使っておらず、中国語は自分の意志で勉強するまでまったく喋ることは出来ませんでした。私にとっての母語は日本語で、自分のアイデンティティも日本にあると思っているのですが、私の経歴を話すと、"ハーフで人生の半分以上海外住みとかもはや日本人じゃないじゃん。"という趣旨のことを時々言われ、どう返事すればいいか困ることがあります。

　そのなかで、ハナさんのスピーチを読みアイデンティティは必ずしも1つである必要はないし、必ずしも現存している分け方で考える必要もないのだとも感じました。

A.I. ｜ 政治経済学部 1 年

　こんにちは。私も海外経験が長くアメリカと日本の国籍を所持していますが、ハナさんのスピーチを読んで自分も大層「運のいい」人間だったのだと実感しました。自分が生まれていない国でも、顔がそこの国の人間っぽくなくてもそれを指摘されたり嫌な思いをすることはありませんでした。しかしそんな私でもずっと考えていることがあります。それは自分の故郷についてです。生まれ育った国はアメリカですが、自分の考え方や物の見方などが大きく形成されたのは日本でした。過ごした期間はどちらも同じくらいです。この状態のとき、私はどちらを故郷と言ったらよいのでしょうか？それともハナさんならばどちらも故郷だと答えますか？あなたの答えを聞いてみたいです。素晴らしいスピーチをありがとうございました。

キム ハヨン ｜ 教育学部 1 年

Hana へ

　Hi　Hana!　元気？

　私はハヨンです。あなたのスピーチを読んでいろんな考えをしました。

　どう考えても Hana さんは本当にすごい人だと思います。

　外国で住んでいたにもかかわらずすべてのことを肯定的に考えることを見て私もよりポジティブで生きようと考えました。

　自分は今日本に来て 7 年目ですが、正直に言って 5 年目までは日本が大嫌いでした。

　いい思い出も多かったし、楽しい生活でしたが、生活の中で時々感じる差別がストレスで、できるだけ早く韓国に帰りたかったです。

　高校 2 年になってこそ世界どこに行っても変な人はいるし、悪い人がいればいい人は 10 倍ほどより多いと思って、差別によるストレスから解放されました。

　今も時々外国人として差別を受けるとすごくテンションが低くなって、気分が悪くなりますが、Hana さんは本当に一回も差別で

気分が悪くなった経験がないでしょうか。

　私も Hana さんのようにポジティブに世界を生きる練習をしなければならないですね。頑張ります！

Have a nice day Hana!

C.S. ｜ 政治経済学部 4 年

　私も日本とアメリカに住んだことがあり、華さんが言うように、「移動をさせられた子どもたち」の 1 人です。なので、華さんがスピーチでおっしゃっていたことに非常に共感しました。自分のアイデンティティは自分で決めるものであり、他人に指図されるものではない。自分は自分、「私はハナ人です！」というのは、とても良い心持ちであり、私自身も見習いたいなと思いました。

▶ **授業を終えて⑥**

・今回の課題は、「Hana さんへ手紙を書く」という課題です。注目するのは、学生たちが Hana さんのスピーチにどう反応するかという点です。Hana さんは目の前にいない人なのに、学生たちは Hana さんを自分たちと同じ年齢の友人のように捉え、スピーチの内容をしっかり受け止め、そして率直に反応していました。

・特に、Hana さんの生き方や考え方に自分の体験を重ねて考えることによって、ただ共感するだけではなく、「私たちが日ごろいかに勝手に人を○○人というカテゴリー分けをしていたかに気づかされました」とか、悩みの「「過程」の中にさまざまな葛藤と他者が大きく関わっていること」に気づいたとか、「アイデンティティについて悩んでいるのは自分一人ではないのだと子どもたちに気づかせてあげられるのではないでしょうか」と次の実践へつなげたりする意見があった点も、注目されます。

・「移動させられた子ども」は、世界にたくさんいることでしょう。その体験を持つ人の心情に寄り添い、自分の生き方、人の生き方、社会のあり方を考える時間は、これからの「グローバル人材」教育に欠かせないのではないでしょうか。

4.7 第7回目 それぞれの「日本語」

　7回目の授業の最初に、前回の宿題「Hanaさんに手紙を書こう」について触れます。学生たちが書いたHanaさんへの手紙は、学生自身の気持ちがストレートに表れていましたので、私がそれ以上論評することは不要と考え、何人か学生から感想を聞く程度にしました。しかし、同時に、もしこの教室にHanaさんが来てくれたら、学生たちとどんな意見交流ができるだろうかと想像しました。そして、学生たちにも、「ここに、Hanaさんが来てくれたらいいね」と話しました。この発想が、後で詳しく述べるように、夏クォーターで実現することになりました。

　さて、この回の授業のテーマは、一人ひとりにとっての日本語の意味を考えることです。まず、テキストにある「会話例」（日本国外で日本語を学ぶYumiと友だちの会話）を読むように指示し、問1、問2、問3（pp. 32-33）を考えます。この会話には、日本のマンガやアニメの影響を受けながら日本語を使用する子どもの姿があります。そのため、問いでは、「マンガやアニメは日本語学習のリソースになるのでしょうか」と問いかけます。複数の学生からは、海外にいたときに日本のマンガやアニメをよく見たという実体験から学習リソースになりうるという意見が出ましたし、海外で日本語を学んだ留学生からも同じ意見が出ました。

　次に取り上げたテーマは、「混ぜ語」です。シンガポールに長く住んでいた大学生、かおりさんは、海外に住んでいた経験があり、英語を話す友だちとは「混ぜ語」（日本語と英語の混ざったJanglish, Enganese）を使うと言い、その理由を「気持ちが楽で、通じ合う感じがします」と説明します。そして次のような友だちとの会話例を示します。

> 「シンガポールの英語ってSinglishっていうけど、聞きなれたらcomfortableだよね。でも、買い物なんかでまくしたてられると、もうstuckになって、英語にconvertしてって言いたくなることもあるし」
> 「そうそう、向こうもhyperちゃったりとか、emotionalになると、うちら、ついていけないよね」

そして、問4（p. 33）「あなたは、かおりさんの「混ぜ語」についてどう思いますか」を考えるように指示し、「こんな人、いると思いますか」とクラスで尋ねると、すぐに手が上がりました。つまり、同じような言語使用をしている人は、日本の大学生の中にも結構いるようです。

　さらに次のテーマは、アメリカから日本の大学に留学中の日系3世のジェームズさんが来日したときの戸惑いです。日本人の母親から日本語を教わったジェームズさんは、「外見は日本人と同じ顔立ちなのに日本語が期待されたほど話せない」と見られることが一番つらいと語ります。

　このような例から、人によって使用する「日本語」にバリエーションがあること、そして、その背景に複数言語と移動が関係していることについて考えます。

　その際、大切な視点は、キーワード（p. 36）にある「文化相対主義と文化本質主義」です。その説明文の最後にある「日本語自体を相対的に、かつ動態的に捉えることが重要」という指摘を、次のスライドを使って、わかりやすく説明します。

文化相対主義と文化本質主義

文化相対主義（Cultural Relativism）
　それぞれの文化には価値がある。
　弱点は？

文化本質主義（Cultural Essentialism）
　それぞれの社会には昔から独自の「文化」があり、その「本質」
　は変わらず、人々の行動や考え方を規定する。
　では、「Hana さん」「ジェームズさん」は？

　もう一つは、「日本人＝日本語を話す人」というような固定的な捉え方を相対化することも必要です。日本の中にある多様な「言語」を考えるきっかけとして、次のスライドを示して、説明しました。

> **日本の中に「言語」はいくつあるのか？**
>
> 2008年　日本政府：アイヌは、独自にアイヌ語をも
> 　　　　　つ先住民族と認めた。
> 2009年　ユネスコ（UNESCO：国連教育科学文化機関）
> 　　　　　は、アイヌ語以外に、八丈島、奄美、沖縄
> 　　　　　にある方言を八丈語、八重山語、与那国
> 　　　　　語、奄美語など、8つの言語が消滅の危機
> 　　　　　にあると指摘。

　コースも後半になりますので、この段階で、コース最後の「課題レポート」について説明します。受講生は入学したばかりの1年生から4年生、そして留学生もいますので、レポート作成について次のスライドを提示しました。レポートのモデルを示すことは、自己表現力を高めるために必要なことと考えたからです。レポートの課題は「テキストおよび授業内容を振り返り、自分の興味をもったテーマを選び、レポートを書く」です。

> テキストおよび授業内容を振り返り、自分の興味をもったテーマを
> 選び、以下を参考に書きなさい。
>
> **レポートの構成**
>
> 1　興味を持ったテーマを書く。　　　　　　　〈研究主題〉
> 2　なぜそのテーマに興味を持ったかを書く。　〈問題意識〉
> 3　そのテーマについて関連する具体的な事例を
> 　　いくつか挙げて論じる。　　　　　　　　　〈事例研究〉
> 4　これらの事例から考えたことや意見を書く。〈考察〉
> 5　まとめと今後さらに考えたいことを書く。　〈結論と今後の課題〉
> 6　このことを考える上で参照したものを書く。〈参考文献〉

　レポートの分量（1ページ、40字×30行をめどに、A4、横書き、2〜3枚程度）を説明し、参考図書リストなどをまとめた用紙を配布し、同時に「大学授業支援システム」にアップします。
　この授業の最後に、宿題として、次のスライドを提示し、合わせて、自分

の「言語ポートレート」（p. 39）を描いてくることを指示しました。

| **テキスト　p. 38　問1.**

「バイリンガル」と聞いて、あなたがイメージするの
は、どんなことですか。また、どんな人が「バイリ
ンガル」だと思いますか。

　この宿題について、学生たちは何を考え、どのように回答したのでしょう
か。では、「レビューシート」を見てみましょう。

▶ レビューシート　7回目

問　「バイリンガル」と聞いて、あなたがイメージするのは、どんなこと？
　　どんな人が「バイリンガル」？

斎藤彩香　｜　国際教養学部3年
　　私は帰国子女の多い学校に行っていたため、いろんなバイリンガ
ルを見てきた。英語も日本語もレベルが高くて、東大の法学部へ行っ
た子、日本語はいまいちだが、英語の科目で満点を取って慶応の法
学部へ行った子、ハーフだが、どちらの言語でもいまいちコミュニ
ケーションが取れなくて、孤立感を強めている子、英語でも日本語で
もコミュニケーションは抜群にとれるのに文章を全く書けない子な
どなど。でも、この子たちみんながバイリンガルだと思う。二つの
言語が分かるという時点で、私ならバイリンガルと定義する。公開
レビューを見ると、かなりの人がバイリンガルに求めているレベル、
水準が高いように私には思える。もし本当にかなり高いレベルで二
つの言語を話せる人しかバイリンガルじゃないというと、普通のレ
ベルや低いレベルでしか二つの言語を話せないという人は何になっ
てしまう、或いは何だと言えばいいのだろうか？私はそう思った。

植地丈華 ｜ 文化構想学部 4 年

　バイリンガルとは 2 つの言語をネイティブレベルで自在に操ることができる人のことを指すと考えていますが、その「ネイティブレベル」に具体的な基準はなく、その人が属する集団や社会によって基準は変わってくると思います。私は母語が日本語で、第 2 言語が英語ですが、バイリンガルではありません。自分の英語は十分だとは思わないし訛りの強い英語などはすごく苦手です。でも、アルバイトをしている会社の中でビジネス英語を使う「バイリンガルチーム」に所属しており、社内ではバイリンガルと名乗っています。

塚本実知子 ｜ 教育学部 3 年

　「バイリンガル」とは、二言語で他者とコミュニケーションを取ることが出来る人たちのことを指すと思います。よくバイリンガルのことを「二言語を話すことが出来る人」と考える人がいますが、そのような考え方だと、"I am Hanako." とだけ英語で話すことができる子どももバイリンガルのくくりに入ってしまい、私はそのような子どもをバイリンガルと呼ぶのは適切ではないと思います。よって、他者に自分の思いや考えを二言語で伝えることが出来、問題なく意思疎通を図れる人のことをバイリンガルと呼ぶのだと考えます。

Qu Jiaxian ｜ 社会科学部・交換留学生

　バイリンガルを定義すると、最初に頭に浮かぶのは「二つ以上の言語を同じくらい心地よく使えること」という言語発達学の授業で聞いた一言でした。しかしよく考えると、この表現はとても曖昧なものです。人の言語力はコンテキストによって変わるものであり、二つの言語の語彙や表現が完璧にかぶることは決してありません。ならどうやって「同じくらい」を定義すればいいのでしょう。それに、「心地よく」ということばも主観的なものであり、家庭内言語を心地よく話せても全く書くことができない人もたくさんいます。

　言語も言語力もたくさんの側面のある見えない概念です。JLPTのような能力試験があっても、それは一人の言語力を全面的や客観

的に図ることができません。私は英語と日本語の学習者としても、いつも自分のレベルをどのように表せばいいのか困っています。

　私は人がバイリンガルかどうかを定義できるのはその人自身しかないと思います。その二つの言語とも自分の一部あるいはアイデンティティの一部だと感じるなら、自分のことをバイリンガルと呼べるのではありませんか。

真由 ｜ 国際教養学部 2 年

　「バイリンガル」とは、やはり帰国子女や留学生などの現地で学んできた人たちを連想する。留学経験がないにも関わらず他国の言語が非常に上手な人もいるが、実際現地の人々と接したことがある人のほうが自然な会話の流れを生み出しやすいと感じる。さらに、帰国子女の中でも幼いころから親の事情で海外へ渡航した人は、日本語に加えて現地の言葉を習得することが多い。私個人としては「バイリンガル」という言葉に対し高いハードルを感じる。どうしても帰国子女であるイコール「バイリンガル」であるという方程式ができあがっているからだ。ハーフであるということも同様だ。しかし、帰国子女だからといって必ずしも「バイリンガル」とは限らない。幼さゆえに自身が帰国子女であるということを認識できない人もいる。ハーフの人たちの中には生まれてから日本にしか住んだことがない人もたくさんいる。私は自身の英語があまり上手ではないと感じているので、「バイリンガル」という言葉が一種の重荷のようになっていたこともあった。そのため、他人に対して使用するときには注意をしたいと思う。

Y.T. ｜ 教育学部 3 年

　私は、バイリンガルと聞いて少しだけでもよいので 2 つのことばを使える人のことを指すと思います。私はバイリンガル教育について考える授業を自身の学科で取っていたのでその時に色々考えましたが、まず言われていることとして、2 つの言語が全く同じ能力であることはなく、いくら 2 つを流ちょうに話しているように見えて

も、実際は偏りがあるということです。そのことを踏まえると、完全に2つの言語を話せる人はいないため、たとえ第二言語が簡単な自己紹介しかできない人も「2つの言語を話す」時点でその到達度によらずに「バイリンガル」と言ってよいと思います。

松原直輝 ｜ 政治経済学部1年

　「バイリンガル」と聞くと2つの言語を母語・第一言語とし、どちらの文化にも理解し精通している人、つまり言語AとBの「バイリンガル」の方は、Aを母語としBを第二言語として習得した人とは言語的にも付随する思考的にも、より多い複数の視点を持てるイメージでいました。

　ただ、この授業に参加するうちに小さいうちから言語AとBの両方に触れた人には、（当たり前ですが）同時に二つの場所で成長できない故の、言語への自信やルーツについての「苦しみ」があること。そして複数の視点を持てるというよりも、1つの母語を持つ人とは異なる視点を持っている「だけ」で、上の「バイリンガル」という定義に当てはまる人など、そうそういないんじゃないかという気がするようになりました。

　「バイリンガル」という言葉にポジティブな「2言語を操れる才人」という意味で考えていましたが、プラスの一側面あるいは一握りの人にしか注目していない言葉で、そしてどこか（幼い頃から二言語に触れた人に）この「才人」を目指すことを良しとする規範性が含まれているような気もします。

N.N. ｜ 国際教養学部

　私が「バイリンガル」と聞いてイメージするのは2ヵ国語以上のことばを使える人です。世間一般のイメージでもバイリンガルはどちらの言語も聞く、話す、読む、書く、の四技能が年齢相応にできる人なのかな、と思っていました。しかし、よく周りを見てみると、バイリンガルは必ずしも四技能が母語並みにできる人を指すわけではないな、と感じました。実際に私の知り合いはアメリカに住んで

いるものの、日本人である母親と会話するときは日本語を使っていたため英語と日本語、両方の言語で喋れるそうですが、語彙力や表現力を比べると圧倒的に日本語よりも英語の方がレベルが高く、日本語は小学生レベルでしかない、と話してくれました。使用する複数の言語のうち1つの言語の方が能力が高く、別の言語は四技能が年齢相応に満たないものの、彼女は充分バイリンガルと言えると思います。複数の言語を母語並みに扱える人が一般的なバイリンガルのイメージですが、実際はレベルや能力は関係なく、複数の言語を使用できる人がバイリンガルなのではないかな、と思いました。

T.Y. ｜ 政治経済学部2年

　私がイメージするバイリンガルは2つの言語を使用している人のことです。bilingual の "lingua" という語根からも、バイリンガルは文化や両親の出身地などの要素ではなく、あくまでも言語面であると考えているので、例えば両親の国籍が違う所謂ハーフ／ダブルの方や海外に長期間住みその国の文化に親しんでいる方でも、言語を1つしか使用していなければ、その方は私のイメージしているバイリンガルではありません。逆に、日本生まれ日本育ち、両親ともに日本人というような方でも、2つの言語が堪能であったり、2つの言語を使用しながら生活を送っていたりしている方は、私にとってバイリンガルです。

A.I. ｜ 政治経済学部1年

　バイリンガルとは二つの言語を流ちょうに問題なく扱うことのできる人のことだと私は考えます。ただしその「流ちょうに問題なく」言語を扱えるという基準は人によって認識が違うものだと思うので、誰がバイリンガルで誰がバイリンガルでないのか、ということは主観的にしか語れません。私にとって「バイリンガル」という言葉は複雑で難しく、正確に定義しにくいものです。

キム ハヨン ｜ 教育学部１年

　バイリンガルには大きく２つに分けることができると思う。

　一つは母語があって、母語以外の言語を自分で勉強した場合。たとえば、親が日本人で日本語をしゃべって、自分も日本人であるが、英語の勉強をして英語が喋れる場合。

　二つは親の国籍や使う言語が違う場合、家族の影響で自然的に二つの言語が喋れる場合。たとえば、母が日本人で父がアメリカ人の場合、自分が日本語と英語を喋れる場合。それ以外にも、住んでいる場所やいろいろな状況によってさまざまなケースがあると思う。

C.S. ｜ 政治経済学部４年

　バイリンガルと聞いて、私がイメージするのは２言語話せる人です。挨拶レベルしか話せない言語は含まれないとは思いますが、ある程度日常会話ができればバイリンガルなのかなと思ってしまいます。しかし、その２言語をどの程度話すことができればバイリンガルなのか、疑問に思います。また、話す・聞くができても、読み・書きができなければバイリンガルではないのかなど、基準がよくわからないというのが正直なところです。

▶ **授業を終えて⑦**

・「バイリンガル」は、この授業の重要なキーワードの一つです。すでにテキストにも「バイリンガル」の説明がありますが、考えたいのは「バイリンガル」のイメージです。そしてそのイメージはなぜ成り立っているのかということです。

・学生たちもそのことに気づいているようです。「帰国子女であるイコール「バイリンガル」であるという方程式ができあがっている」という指摘は、その例です。また、「バイリンガルの定義は曖昧だ」と客観化した意見や、「レベルや能力は関係なく、複数の言語を使用できる人がバイリンガルなのではないか」という意見、「バイリンガルは必ずしも四技能が母語並みにできる人を指すわけではない」という意見まで出てきました。

・つまり、世間にあるような「バイリンガル」のイメージをとことん疑って

かかる姿勢が見えます。そして、「私は人がバイリンガルかどうかを定義できるのはその人自身しかないと思います。その二つの言語とも自分の一部あるいはアイデンティティの一部だと感じるなら、自分のことをバイリンガルと呼べるのではありませんか」という意見も出ました。「バイリンガル」というイメージは社会的につくられ、消費されることに対抗して、個人の主観的な視点を提示した意見と言えるでしょう。これも、「グローバル人材」に必要な観点、判断ではないでしょうか。

4.8 第8回目 コースの振り返り

いよいよ春クォーターの最後の授業です。

前回の「レビューシート」から、学生たちの意見を紹介します。ただ、「バイリンガル」についての基礎的なことを確認したいと考え、キーワード（p. 41）にある「バイリンガル」の解説をもとに次のスライドを提示しました。

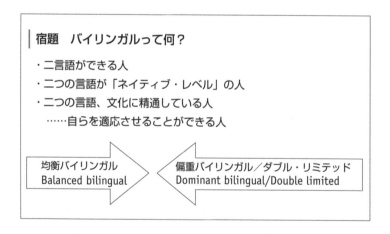

その上で、学生たちの意見をまとめたスライドを提示しました。実際に提示したものです。

　このようなコメントを書いた学生に手を上げてもらい、補足説明をしてもらいます。その上で、次のスライドで、再び、クラス討論をします。

```
バイリンガルって何？


・ネイティブ・レベルとはどんなレベル？
・二つ以上の言語がネイティブ・レベルでないと、バイリンガルと
 呼ばない？
・「バイリンガルと呼ばれない人」は、なんというの？

        世の中、みんな「中途半端」な人だらけ？
```

　次に、最終回の授業のテーマが、「複数のことばの中で育つということ」であることを説明します。その上で、宿題としていた各自の「言語ポートレート」をグループで見せ合いながら、意見交流することを指示します。特に、「あなたの言語ポートレートに影響を与えた要因は何か」について考えましょうと呼びかけます。

　この時間はたっぷりとります。後で、この活動が春クォーターで最も面白

かった時間という意見があったほど、学生たちはお互いの言語ポートレート
に興味を示し、それぞれの説明に耳を傾けました。

　最後に、言語ポートレートを使った実践（Busch, 2012, 岩﨑、2018）の
絵を紹介し、「複数の言語を使って生きること」「複言語複文化能力」につい
て解説しました。その上で、次のスライドを提示しました。

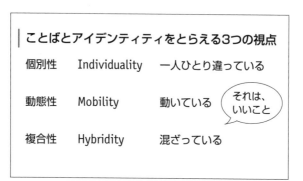

　「一人ひとりが違っている」こと、「動いている」こと、「混ざっている」
ことは、「いいこと」であり、肯定的に捉えることが大切であると述べまし
た。今回の春クォーターの授業「複言語社会を知る１」は、そのタイトルに
ある「複言語社会」の定義もしないまま授業を進めてきました。「複言語社
会」という語は、まだ定義が定まっていない新しい造語です。そのことをど
う考えるかは、これからの社会をどう捉えるかを、一人ひとりが考えること
から始まると思います。そのきっかけと考える材料が提供されれば、後は、
学生たちが自分で考えるのではないでしょうか。

　最後に、次のスライドを提示し、春クォーターの授業を終了しました。

> このコースで、あなたは何を学びましたか。
> 振り返り、学んだことを書きましょう。

さて、学生たちは何を感じ、どんなコメントを書いたのでしょうか。その回答を、見てみましょう。

▶ レビューシート　8回目

問　このコースで、あなたは何を学びましたか。

斎藤彩香　｜　国際教養学部3年

　とても有意義な授業だった上にとても楽しかったです。特に言葉のポートレートが一番楽しかったです。もちろんわたしのポートレートを作ることも楽しかったのですが、さらに友だちのポートレートを見るのもとても面白かったです。レポートを書く際、インタビューをした人にポートレートを作ってもらったのですが（レポートに載っています）、いろんな形のものがあって興味深かったです。

　この授業がいままで受けた授業の中で一番興味をもって受けられているので、もっと「移動する子ども」について知りたいと思い、教授の本も少し読みました。「移動する子ども」は移住してきた移民一世に比べて参考資料が少ないとありました。私はいつか「移動する子ども」についてもっと調べて、彼ら彼女らのライフストーリーをもっと世に広めていきたいです。

　今まで春クォーターの授業をして下さって、本当にありがとうございました。

植地丈華　｜　文化構想学部4年

　テキストをもとに教室内の生徒の実体験を聞き、ディスカッションをできたことがとても良かったと思います。普段は友だち同士でもなかなか自分のバックグラウンドや考え方を話すことは少ないため、今回この授業を通して、身近の同世代の人が様々な経験をし、それぞれいろいろな考え方を持っているということを知れてとてもよい機会だったと思います。次のクォーターもよろしくお願いします。

塚本実知子 ｜ 教育学部３年

　この授業を通して学んだ一番大きなことは、「移動する子どもたち」が必ずしも自らの意志で移動してきたわけではなく、国や家庭の事情で移動を強いられた場合もあるということです。日本語教育の難しい点は、このように移動を強いられて日本へやって来た子どもたちに、いかにして日本語学習をモチベーション高く続けさせられるかどうかだと思います。私は将来、日本語教育に直接携わることは無いかもしれませんが、日本に住む一人一人が日本に移動してきた外国人と共存していこう、彼らにとっても生活がしやすい国にしよう、という気持ちを持つことが、今後の複言語社会を世界全体で作り上げていく上で重要だと感じました。

Qu Jiaxian ｜ 社会科学部・交換留学生

　この授業で学んできたことは大きく二点に分けられると思います。

　まずは理論的なものです。母語と複言語社会の定義や言語に関する仮説などももちろんだが、自分が今まで意識していた概念に名前を付けることもできました。たとえば自分は第二言語学習者として日常生活に使われていることばと学術場面で使われていることばの違いはずっと知っていたのに、この授業を通してそれは「生活言語能力」と「学習言語能力」の違いだと知り、それは「移動する子ども」にとってどんな問題になるのかも事例で考えることができました。それを勉強することで言語学にも興味を持ち始め、これからはもっと学びたいと思いました。

　二つ目は考え方です。日本は世界中ではずっと人種的に多様性のない国だと思われているが、この授業を通して、日本の多様性とグローバル化を切実に感じた。その上、私たちはどんな風にその多様性と向き合うべきか、どんな風にお互いをサポートするべきについても考えることができた。これからもそのグローバル的な目線と多様なバックグラウンドへのリスペクトを持って他人と触れ合いたいと思います。

真由 ｜ 国際教養学部２年

　全体の講義を通し多くの人の体験を聴くことができた。これが一番の収穫だと思う。数字やデータなどは論文を通してもわかるが、近しい友人から直接聞いた話や実体験であるからこそ本人が感じた苦悩をよりリアルに感じ取ることができた。また、見せていただいた映像資料は当時の急な変化に対する困惑や実際に対応に迫られる現場の方々の様子が伝わってきた。さらに、一番印象に残っているのは「移動させられる」子どもというフレーズだ。言葉を少し変えただけでこれほど強烈になるとは思っていなかった。それほど親が子どもに与える影響の大きさについて実感させられた。親だけではない。周りの大人も同様の影響力を持っている。先生が子どもにかけるささいな言葉が時には子どもを迷わせたり、導いたりする。将来自分がその立場に立った時に何ができるか答えは出ないにしても、考え続けたい。

Y.T. ｜ 教育学部３年

　この講義で学んだ中で一番印象的だったのは、「移動する子どもたち」ではなく、「「移動させられる」子どもたち」なのではないかというハナさんの言葉だ。確かに子どもたちは自分の意志で動いているわけではないため、言葉や文化の違いでつらい思いを一番感じやすいと思うが、それを越えてハナさんは自分のアイデンティティのことを「ハナ人」と定義づけていた。「その人が何人か」という問いは人によっては複雑であり、その人のアイデンティティに大きくかかわること、また傷つけてしまう問いであると気づかされた。このような問の無意味さを感じると同時に私たちにはまだ「国」「母国」という一対一に結び付けようとする固定概念や枠組が存在してしまっていると感じ、その枠を取り払えてからこそ「グローバル化」と言えるのではないかと思った。

松原直輝 ｜ 政治経済学部１年

　日本から、もっといえば東京から殆ど動いていない私にとっては、

いろいろな人の経験、考え方、視点というものに触れられたことは
とても貴重でしたが、何よりも自分がわかっていると思っていたこ
とがリアリティがない、「言葉で知っているだけの」知識でしかな
かったことを知れたことが大きいと思います。「みんなちがってみん
ないい」「いつか変わる、それでいい」といった言葉も、2ヶ月前と
は捉え方が大きく変わったなと感じます。

　同時に、この多様性の時代では「同化」や「固執」はあまり「良
い」とはいえない（この講義の1つのテーマでもあるのかなと思い
ました）ですが、実際にはこういった傾向の意見は（多様性の時代
ゆえ）注意深く見られるようになっていると思います。対して無警
戒になりがちですが一つの「具体」に引っ張られすぎることも、こ
の時代だからこそ問題につながるのかもしれません（もちろん全く
引っ張られないなど有り得ないのですが）。あらためて「理解が及ば
ないところは、及ばない」と、だからこそ「共有する、共有された
ものをよく聞く」という姿勢の大切さを感じました。

N.N. │ 国際教養学部

　この授業で改めて人はさまざまな理由で移動していることを実感
しました。以前にも人々は移動している、という認識はあったので
すが、授業でのディスカッションなどでさまざまな経験をしてきた
クラスメートの話を聞き、移動する子どもの多さを実感しました。
また、このコースで私が学んだのは、さまざまな壁に直面する、複
言語社会で生活する子どもたちに私たちが一番教えてあげなければ
ならないことは、自分の言語能力を他者との比較で判断するのでは
なく、自分の経験から培った複数の言語能力とどのように向き合い、
どのように生きていくのか、が大切なのだと教えてあげることです。
クラスでのディスカッションで実体験やそれぞれの抱えた悩みを聞
き、視野が広がりました。たとえ私自身が移動する子どもたちにし
てあげられることが少なくても、これからも複言語社会で育つ移動
する子どもたちにとって暮らしやすい環境を作り上げるにはどうし
たらいいのか考え続けたいと思います。

T.Y. ｜ 政治経済学部2年

　この授業では複言語社会においての言語のあり方について多面的に知ることが出来ました。日本語教育1つを取っても、海外から移動して来た子どもが感じている困難やそれに対する各教育機関の取り組み、また海外に移動している日本人の子どもに対する日本語教育のあり方等さまざまな方向からのアプローチがあり、より深く濃い知識を吸収できたと感じています。

　私も海外で育った所謂移動する子どもの一人で、海外で育った子どものアイデンティティ形成にとても関心があったため、私と同じように海外で育った学生や日本で育って来た学生などさまざまな異なる背景をもった学生との議論はとても面白く有意義でした。

A.I. ｜ 政治経済学部1年

　自分と同じような境遇の方たちの話を聞ける貴重なクラスだったと思います。また、日本にずっと住んでいる方たちからも帰国子女や海外に住む日本人の子どもたちについての様々な意見を知ることができて良かったと感じています。日本へ帰国してからもインターナショナルのような学校に通っていたので、違う視点からの意見というのは本当に貴重なものでした。ありがとうございました。

キム ハヨン ｜ 教育学部1年

　私にとって「複言語社会を知る」という授業は自分のアイデンティティを探す旅でした。

　日本では韓国ぽく、韓国では日本ぽい私は一体なんだろう、どんな人なんだろうと中学生の頃からずっと思い続けてきました。授業を通して複言語社会の子どもたちの話を聞いて問題点を学びながら困っている子どもたちにずっと言いたかったことは「あなたはあなただよ」でした。勉強をしながら国籍って何の意味があるのか、母語とは何か、それがそんなに重要なのか疑問が続きました。

　そしてやはり何よりもそのままの自分はそれなりに特別であること、アイデンティティが曖昧な人は私だけではないことに気がつき

ました。一緒に授業を聴く学生さんのそれぞれ異なる人生の話を聞きながら世界には想像以上に多様な人々がいることを知ることになりました。

　本当に良い勉強になったと思います。

　ありがとうございます。

C.S. ｜ 政治経済学部 4 年

　グローバル化が進み、世界中の人々が行き交う中で、子どもの環境・成長・学びは大きく変わった。国を跨いで学習することによって、複言語社会で生きることのメリットもデメリットも得ることができるようになった。私も帰国子女であるため共感できる部分は多々あったが、中には新たな発見があり、特にアイデンティティについては深く考えさせられた。アイデンティティには結局さまざまな要素があり、言葉や人種など 1 つの要素で決まることはない、そして自分目線なのか他人目線なのかというのもあり、複雑なものであると感じた。

▶ **授業を終えて⑧**

・この回の授業の問いは、学生たちの振り返りを知ることでした。そのコメントに共通するのは、以下の点です。

　　① 背景の異なる学生が多く、その体験談を聞けたことが良かった。
　　② たくさんディスカッションができて楽しかった。
　　③「移動する子ども」の課題を理解し、社会認識が変わった。
　　④ 理論的な知識を知ることができた。
　　⑤ 見方や考え方の捉え直しができた。

これらの点は、教師の働きかけだけでは生まれなかったでしょう。異なる背景や体験を持つ学生同士の率直な意見交流と議論があったからこそ、一人では得られない学びの共有化が起こったと考えられます。その意味で、協働実践とも言えるでしょう。

・海外で成長した体験のない、いわゆる「純ジャパ」（純粋なジャパニーズ：学生用語）の学生が「「理解が及ばないところは、及ばない」と、だからこそ「共有する、共有されたものをよく聞く」という姿勢の大切さを感じました」と綴り、韓国から来て日本で成長した学生は、自分にとって、この授業は「自分のアイデンティティを探す旅でした」と述べているのは、その例です。

・もちろん、これらのコメントの背景には、たくさんのクラスメートがいることも忘れられません。それぞれの学生が、このクラスで何かを感じ、考え、議論を重ね、また自分の体験を振り返り、自分に向き合う作業に取り組んでいたのでしょう。これらのコメントが、最後の「課題レポート」につながることになります。

4.9　私の学び、私の意見①〈課題レポート 1〉

　春クォーターの最後の課題は、探究型アプローチの実践において重要な課題となります。それまで各授業で「日本語を学ぶ／複言語で育つ」子どもに関してさまざまな問いや事例を検討してきました。そのたびに、学生は自分の体験を思い出し、あるいは他のクラスメートの意見や体験を聞き、小グループで意見交流や対話を通じて、自分の意見や問題関心を深めてきました。だからこそ、春クォーターの最後の課題レポートは、自ら問題設定をし、その問題を説明するとともに、関連する事例や自分の体験を提示し、考察し、結論をまとめる課題を与えたいと考えました。

　そこで課題レポートのテーマを、「テキストおよび授業内容を振り返り、自分の興味をもったテーマを選び、レポートを書く」としました。やや抽象的な、またオープンな課題ですが、学生たちがこの授業からどんな刺激を得て、どんなことを考えたのかを知る上で、自分でテーマを決め、自由な発想で書くという課題探究型のレポートは、後半の「複言語社会を知る 2」を進める上でも参考になるのではないかと考えました。

　そして提出された学生たちのレポートを読み、私は大いに考えさせられました。学生たちが自分の体験や考えとしっかり向き合っていたからです。学生たちがどんな課題を設定し、どのように検討し、自分のテーマを深め、結

論をまとめたのかについて、実際のレポート①から⑪をご覧ください。

課題レポート①

言語とアイデンティティの繋がり

斎藤彩香 ｜ 国際教養学部３年

1. 主題

「移動する子ども」は言語を獲得しながら、どのようにアイデンティティを形成していくのか？

2. なぜ言語とアイデンティティの繋がりに興味を持ったのか

　私は幼い頃に米国で過ごしたが、日本語はネイティブレベルになった。しかし中学校や高校に上がっても日本語の考え方がしっくり来なくて、アイデンティティについてとても悩んだ。私の周りにもそういう友だちがおり、中には不適応を起こしている子もいた。もしかしたら私だけの問題ではないのかもと思い始めた。「移動する子ども」は二つ以上の言語を使えて、有能な人も多い。日本という国にとっても「移動する子ども」のアイデンティティを考えることは日本のためになると思う。

3. インタビュー／事例研究

複言語で育つ子ども１：李愛莉さん（仮名）

　東京生まれ。四人兄弟の長女。父親と母親は台湾人だが祖母が日本人で、クォーター日本人。六か月の時に台湾へ引っ越す。その後三歳から小学校二年生まで徳島県で過ごす。日本国籍と台湾国籍を所有していたが、十八歳の時に父親が彼女に無断で日本国籍を捨てる。現在 CJL[4] で語学留学中。

4　早稲田大学日本語教育研究センター。

インタビュー内容

——あなたのアイデンティティとは何か？

「台湾人」であること。

——どの言語があなたにとって「しっくり」来ますか？

良い時も悪い時も中国語の方が多く話せる。台湾語や日本語が家庭内で使われてきた言葉だから、自分の家族を思い出す。日本語は英語に比べて易しいと思うし、「なつかしい」。家では台湾語が多い。

——あなたにとって言語とは？

私にとって言語は「家族」の影響を強く受けている。家族は明の時代に中国大陸からやってきた内省人。だから国民党が来てから台湾に渡った外省人とはしゃべり方も考え方も違う。

中学生に上がる頃、少しでもいい中学へ、という父親の希望から違う区の中学へ上がった。その時に外省人が多く、台湾語を話せないひとが多かった。その時に台湾語が「上手い」というアイデンティティに繋がった。

日本語について、自らの思考を考えた時、なぜか日本人の考え方が「わかる」。どうしてかわかる。しかしこのことが良いことか悪いことかは分からない。

語学留学で改めて日本に来た時、日本に来て気づいたことは「台湾中国語と（大陸）中国語は違う」。使い方も考え方も作文方法も違う。それが「面白い」。

——日本と台湾のはざまで苦しんだことはあるか？

外省人の小学校の先生が李さんの家族に日本人がいると分かった時に、李さんに何かと強く当たった。日本人に対する悪いイメージでものを強く言っている。でも、李さんは歴史については和解したいと思って

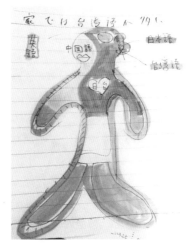

1、「台湾人としての李愛莉さんの言語ポートレート」

いる。台湾にはいろんなひとが来る。そのことで良いことも悪いこともある。それと同じように日本統治時代も良いことも悪いこともあらう。でも、悪いことを二度としなければいいだけの話だ。

複言語で育つ子供２：鈴木真緒さん（仮名）

父親は日本人、母親は台湾人。三人姉妹の長女。父親が台湾で中国語を勉強していた時に母親が中国語を教えていた。台湾で結婚し、真緒さんが誕生。台湾ではインターナショナルな幼稚園へ通っていた。妹二人が生まれた後、小学校入学とともに日本へ引っ越した。それ以降は親族に会う時以外は台湾へ帰らない。鈴木さんは私の十二年来の親友である。

インタビュー内容

――あなたのとってのアイデンティティとは何ですか？

　　「鈴木真緒」という名前。台湾と日本のハーフであること。長女。鈴木家であること。特に鈴木家であることと親友の存在がアイデンティティの核心にある。

――ハーフであることに辛さを感じたことはあるか？

　　むしろ喜びだった。日本語は下手くそ。でも、中国語を話せば、みんなに褒められる。ハーフであること自体もみんなに喜ばれるし、自慢になっていた。

――ハーフであることはどのようにアイデンティティの形成に影響したか？

　　アジア人のハーフであるから、普段はハーフであることはあまり感じていない。しかし、中国語をいきなり話し始めると皆驚く。その時に自分がハーフだと再認識させられるし、解説を求められる。そういった小さな再認識がアイデンティティの形成に影響した。

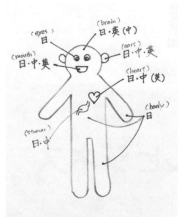

2、「日本人としての鈴木真緒さんの
言語ポートレート」

4. 考えたこと

　まず鈴木さんのインタビューについての考察だ。「私が中国語を話して、周りの人の反応を見て初めて、自分がハーフだと再認識させられる」という言葉がとても印象深かった。私も同じ経験があるからだ。私の場合は英語を話すと帰国子女だと再認識させられる。この小さな積み重ね、あるいは違和感が「私の心はアメリカ人である」というアイデンティティに繋がった。鈴木さんの場合はきっとそれが中国語と日本語という言語によって、「台湾人と日本人のハーフである」という意識に繋がったのだろう。

　次に李さんの考察だ。印象的だったのは、台湾語と中国語のとらえ方だ。彼女の中では、「外省人」「内省人」の区別がしっかりしている。鈴木さんと同じ台湾生まれだが、鈴木さんの口からは、この二つの言葉が出てきたことはない。李さんにとっては、この二つが重要で、彼女の言葉のポートレートを見ても中国語の範囲が比較的狭い上に、彼女はこのポートレートを作ったときにあまり中国語の範囲を塗りたくないようだった。そしてこの違いが「台湾人である」というアイデンティティに無意識的につながっていると感じた。

5. 結論と今後の課題

　「「移動する子ども」の壮大な家族史」によると、「「移動する子ども」の場合のアイデンティティ構築には幼少期からの複数言語環境の経験と複数言語を通じて構築された人との関わりについての意識が深く影響（する）」とある。李さんの例をとっても鈴木さんの例をとっても、二人とも複数の言語を話す環境にあった上に、成長していく過程での人との関わりについての意識でアイデンティティが形成されていくことが分かった。つまり、「動態的な関係性」の中で彼女たちはアイデンティティを形成した。自らの物語と他者の物語の交錯を通じて発達してきた、ともいえる。今後の課題として、今回インタビューをした二人は実はあまりアイデンティティ形成で悩んだことがなかったそうだ。なので、もっとたくさんの「移動する子ども」にインタビューをして、私と同じように激しく悩んだ人の話も聞きたいと思った。

参考文献

川上郁雄（2011）『「移動する子どもたち」のことばの教育学』くろしお出版

川上郁雄（編）（2013）『「移動する子ども」という記憶と力——ことばとアイデンティティ』
くろしお出版

川上郁雄（2012）「書評「移動する子ども」の壮大な家族史——一青妙（著）『私の箱子』講
談社，2012年」『ジャーナル「移動する子どもたち」——ことばの教育を創発する』3,
121-127.

川上郁雄（2017）「「移動する子ども」をめぐる研究主題とは何か——複数言語環境で成長す
る子どもと親の記憶と語りから」『ジャーナル「移動する子どもたち」——ことばの教育
を創発する』8, 1-19.

高橋　聡（2012）「言語教育における、ことばと自己アイデンティティ」『言語文化教育研
究』10(2), pp. 37-55.

課題レポート②

アイデンティティの多様性

植地丈華　|　文化構想学部 4 年　

〈研究主題〉

　テキスト（川上ほか、2014）によると、アイデンティティとは自分が何
者なのかという意識だけに固定されず、子どもから老人への成長の中で形成
され続けることから「個人が生きていく中で自分のあり方を追求していく過
程」である、という旨が記載されている。このアイデンティティに対する後
者の捉え方は自分にとって新鮮なものであり、かつ納得できる主張であっ
た。そのため今まで考えたことのなかったこの切り口を参考に「なぜ納得で
きたのか」「自分にとってのアイデンティティはどういうものなのか」を自
問し現段階での自分なりのこたえを出してみたい。

〈問題意識〉

　「アイデンティティとはなにか」という問いを投げかけた時に、「自己同一
性」という言葉が一つ浮かんでくる。この問いに対するこの答え方は、まさ
に大学入試のセンター試験に出てくる現代国語の頻出問題のうちのひとつで

ある。知らず知らずのうちに「アイデンティティとは自己同一性のことである」と教わってきた我々学生であるが、果たしてそう伝えられて心の奥から理解し納得できた生徒はどのくらいいただろうか。「アイデンティティ」という言葉も、「アイデンティティを説明する言葉」もかなり抽象的で、端的に「こういうものだ」と一言で説明しづらいこの概念にはどのような意味や先入観があり、人々はどのように解釈をしているのだろうか。

〈事例研究〉

　ここで紹介するのは私自身の事例である。初めにことわっておくと、私はアイデンティティと土地を強く結びつけて考えていた。それはアイデンティティとはその人が生まれた場所の環境や経験によって大きく左右されると経験上実感していたからである。私は千葉県で生まれた。幼稚園年中の時に市内で1度引越しをしたものの、小学1年生までは同じく千葉県で育った。その後親の転勤で大阪に小学2年生の間住み、小学3、4年生は家の建て替えの都合で同じ市内の違う学区に引越した。大阪に3年間住んだのちは、小学5年生から中学1年生の途中までは福岡県に暮らした。中学1年生の途中から中学3年生までは愛知県の名古屋市に住み、高校1年生から半年間は千葉県の市川市に住んだ。それ以降現在までは家を千葉県鎌ケ谷市に購入したため、そこに在住している。

　この経歴から私自身が認めていることは、自分に明確な故郷はないことである。住んでいる長さからみれば千葉県での在住期間が圧倒的に長いが、7歳までの幼少期の記憶は少なく、また各地回って再び千葉県に戻ってきた時点で幼少期の友達との交流はほとんど途絶えていた。また、大学生からは東京の大学に通い、全国各地からやってきた人と交流を深めているため、自分の「現在の居住場所」以外に千葉県に対する思い入れがない。また、大阪、福岡、愛知に住んでいたこともあり、私の話す言葉は博多弁と名古屋弁と標準語のミックスである。（関西弁は博多弁にかき消されてしまったため自分の言葉には含まれていない。）ここから、自分の話す言葉からではアイデンティティを一つに絞ることはできない。常日頃は「どこ出身なの？」という問いには「今は千葉県に住んでいるけど大阪と福岡と名古屋にも住んでいた。」と些か周りくどい言い方をして応えている。私は「自分は千葉県民だ」

というには他の都道府県での思い出も大きすぎるし、かといって「大阪府民だ」、「博多民だ」、「名古屋人だ」とそれぞれいうほどその土地に住んでいない。このような背景もあり、自分には自分の背景を理解してくれる人がいないこと、故郷も幼馴染もいないこと、昔の思い出を幼少期から語れる友達がいないこと、自分は結局どこの土地に一番思い入れがあるのかはわからないことなどで悩んでいた時期もあったが、大学2年生のときに一つ大きな転機がおきた。留学である。一年間アメリカに住んで日本に帰ってきたら自分のアイデンティティは大きくまとめて「日本人」に変わっていた。国際交流を行う機会が増え、私と同じように、また私以上に様々な場所・国を飛び回る人に出会って自分の視野も広がっていったことを感じた。また自分のアイデンティティを土地で縛るだけではなくて「好奇心旺盛な人」「個性的」「社交的」など、性格面でも捉えられるようになった。この捉え方の変化にはアメリカで知り合った人の中で、「全く違う場所で生まれ育ち価値観も異なる人でも性格面や相性が合致する人がたくさんいること」を知ったことが大きく影響していると思われる。

〈考察〉

　この自分自身の事例とテキストのハナさんの事例から考えられることは、アイデンティティというものは経験を積むたびに変化していく。また、同じような経験を歩んだ人でも考え方や切り口が異なると出されるアイデンティティの結論も変わってくると推測できる。そのためアイデンティティというものは土地に固執される必要はなく、1人1人が多種多様であると思った。よって、私もハナさんも初めに土地や言葉、DNAからアイデンティティを見つけ出そうとしたが、それはあくまで一つの手段であって、それが「その人を証明・説明するすべてではない」ことが言えると思われる。

　また、自分のアイデンティティを国や土地、言語で無理矢理に当てはめようとしてしまうと、その人が当てはめた分野以外で経験してきた事実を抹消することになり、逆にその人しか持たない経験（個性）や、それ自体を考える能力、創造力、発想力を押し殺してしまうと思った。

〈結論と今後の課題〉

　この考察を踏まえ、アイデンティティとは土地、言語、DNA、性格、経験、環境など極めて多角的な面から自分を捉え「自分とはこういうものである」と説明、若しくは証明する概念であると考えた。また、その自分なりの「こたえ」を出す行為にもそれまでの経験やその時の捉え方、価値観によって大きく変わることから、アイデンティティとは普遍的なものではなく、常に変容し続けていくものだと考える。さらに、この事実を踏まえ私は一つの課題としてこの漠然としたアイデンティティという概念の多様性を皆が理解する必要があると感じた。親や教育者が子どものアイデンティティの創造において、こたえを促したり、自分が持つ価値観や固定観念に従ってレールを敷いて歩ませることは極めて恣意的であり、注意するべきことだと思った。

〈参考文献〉

河合隼雄（1984）『日本人とアイデンティティ──心理療法家の眼』創元社
川上郁雄・尾関史・太田裕子（2014）『日本語で学ぶ／複言語で育つ──子どものことばを考えるワークブック』くろしお出版

課題レポート③

海外で暮らす子どもたちの日本語学習

塚本実知子 ｜ 教育学部３年

1.　はじめに

　私は去年の９月から今年の３月までの半年間のアイルランド留学中に、現地で多くの日本語補習校に通う子どもたちと出会い、遠い国でも日本にルーツがあるという理由で日本にいる自分たちと同様に日本語を学習する子どもたちがいるということを知った。今年の夏には、イマージョン教育を行っているアメリカの小学校へ日本人ボランティアとして日本語授業の補助をしに行くことになっている。そこで本稿では、親の転勤などで海外での日

本語学習を余儀なくされた子どもたち、また生まれも育ちも海外だが日本に
ルーツがあり日本語学習に取り組む子どもたちが、日本語を学習するにあた
り抱える悩みについて論じ、解決策を見出していく。ここでは大きく2つ
について述べる。1つ目は海外で日本語学習を継続する難しさ、2つ目はア
イデンティティの揺らぎである。

2-1. 日本語学習を継続する難しさ

　川上・尾関・太田（2014）は著書の中で、日本人の母を持ちアメリカで
生まれ育ったケンくんのケースを紹介している。ケンくんは、幼い頃は日本
人である母と過ごす時間が多かったため、日本語に対しての抵抗は少なかっ
たが、小学校に入学すると英語中心の生活となり、毎週土曜日の日本語補習
校に通うことも精神的につらくなってしまった。これはケンくんが小学校に
上がり、家庭外の多くの環境と触れ合うことを通じて日本語のレベルが英語
のレベルよりも低くなったことが原因の一つだと考えられる。また、川村・
福島（2007）はウズベキスタンにある日本人材開発センターの「帰国子女
コース」の実践について論文でまとめている。このコースは、日本に滞在経
験のある2歳から14歳の子どもたちの「ことば」の総合的な育成を活動目
標としており、主に遊びや絵教材を通して子どもにとって楽しかった日本の
記憶を活性化するような活動をしている。「帰国子女コース」に参加してい
る子どもたちの家庭内言語は様々であるが、一貫して言えることは、子ども
たちは皆日本を離れる時点では日本語が優勢言語であったということだ。言
い換えると、家庭内言語は変わらずとも、生活環境が変わることで子どもた
ちの優勢言語も変わってしまうのだ。これは自然と日本語を使用する機会が
減ることが原因で、その結果全ての家族がウズベキスタンへ帰国後、子ども
が日本語を話さなくなったと答えたということが調査で明らかになってい
る。これを受けて川村・福島（2007）は、単にこの「帰国子女コース」に
参加するだけでなく、家庭で日本語を使用したり、日本のビデオやCD、絵
本を用いて子どもたちが日本語に触れる機会を少しでも増やすよう呼び掛け
ている。このように、海外で生活する子どもたちは日常生活において日本語
を使用する機会が極端に少ないがために、日本語学習を継続する意義が見出
せなくなる傾向がある。

2-2. アイデンティティの揺らぎ

　言葉と文化は密接な関係にあるため、言葉によってアイデンティティも大きく影響を受ける。前述した、川上・尾関・太田（2014）の著書に記載されているハナさんのスピーチでは、ハナさんが父はアメリカ人で母は日本人、生まれはシンガポールだが2歳の時からオーストラリア在住という特殊な家庭環境、そして複数言語を操れるがゆえに自分が何人であるのか、そして自身のアイデンティティについて悩んだ経緯が読み取れる。また、箕浦（1994）は論文内で、アメリカで生まれ育った日本人の太郎くんの例を挙げている。彼は5歳1か月で家族と共に渡米して以来12年間アメリカで育った。日本の大学に進学することをきっかけに帰国したが、日本独特の上下関係に苦労したと述べている。日本語さえマスターすれば文化の違いも乗り越えることが出来ると考えていたが、実際はそれほど甘いものではなかった。このように、日本語を学習することで、日本語自体は使えるようになっても、根底にある日本文化への理解やいわゆる日本人らしいアイデンティティの獲得は、海外で日本語学習をする子どもたちにとっては難しいようだ。

3. 海外で日本語学習をする子どもたちの悩みを解決するために

　これまで、海外で日本語を学ぶ子どもたちの悩みとして、日本語学習を継続する難しさとアイデンティティの揺らぎを挙げてきた。これら2つの悩みに共通することは、日本語コミュニティが圧倒的に少ないがために生じてしまうという点である。例えば、日本語コミュニティが自分のそばにあり、そこでは日本語でしかコミュニケーションが成立しなければ日本語を学習する意味を見出すことが出来る。また、日本語コミュニティで多くの日本人や日本にルーツを持つ人たちと関わることによって、日本に関心を持ち、日本語学習に対する意欲向上や日本文化の理解につながる。では、いかにしてこの日本語コミュニティを作るかということについてだが、もちろん直接的な人間同士の関わりが最も効果的だと思われるため、海外での日本語コミュニティの強化が重要である。ここで大切なのは、決して補習校のように日本語獲得を目標とするのではなく、子どもたちが楽しむことができ、長く交流を続けたいと思うような環境作りに努めることだ。また定期的に日本からボランティアを派遣して、一緒に日本の文化体験をするような活動も、子どもた

ちが日本を身近に感じることができて良いと思う。けれど、必ずしも日本人が多く滞在する地域、また日本からボランティアを派遣しやすい地域とは限らないため、そのような日本語コミュニティを形成しにくい地域では、スカイプなどを通して日本人と会話をする方法も効果的だと考える。どちらにせよ、自分と同じように日本語学習をする人たち、もしくは日本語使用者との関わりを絶えず持ち続けることが、子どもたちが孤独を感じずに海外でも日本語学習に意義を持って取り組むために重要である。

4. まとめ

　現在、世界はよりグローバル化が進んでおり、それに伴って移動せざるを得ない子どもたちも増えている。そのような子どもたちが海外でも日本文化に親しみを持って日本語学習を続けるためには、日本語コミュニティの強化、もしくはインターネットを通しての日本語話者との関わりが大切である。複数の言語を使えるがゆえに、社会から孤立してしまう子どもたちが存在しないグローバルな世界を皆で作り上げていくべきだ。

参考文献

川上郁雄・尾関史・太田裕子（2014）「日本語を学ぶ／複言語で育つ──子どものことばを考えるワークブック」くろしお出版.

川村秋子・福島青史（2007）「ウズベキスタンの「帰国子女コース」実践報告──「移動する子ども」のために「海外の日本語教育」は何ができるか」,『国際交流基金日本語教育紀要』3, pp. 63-79.

箕浦康子（1994）「異文化で育つ子どもたちの文化的アイデンティティ」,『教育学研究』61(3), pp. 213-221.

あなたはネイティブですか

Qu Jiaxian ｜ 社会科学部・交換留学生

はじめに

　9月から4年生になる私は最近就活を始めた。留学生向けのエントリーシートでは、毎回必ず言語のレベルについて問われる。選択肢は三つ：「Conversational」、「Business」、そして「Native」。それを見て私は何にするのか迷っていた。日本語は授業で使っているけどまだ慣れていないとこがあるから、「ビジネスレベル」にするのは当たり前なことだったが、英語は日本語より断然と上達していて、アメリカの大学に2年半通っていたおかげで何も考えずに自然に喋れるようになった上、アメリカ人の友だちに外国人と話しているとは思わないくらいだと言われていたこともある。私は自分の英語は「ネイティブレベル」だと思っていたが、語彙力はアメリカで生まれ育った人には敵わない上、英語環境で育ったわけではないから、嘘つきだと思われるのが怖くてどうにもならなかった。

研究主題

　そもそもネイティブとはどういうことだろう。どんなふうに定義すればいいのか、あるいは定義できるものなのか。また、複言語社会でこの概念はどう変わっていくのか。このレポートでは、以上の問題について検討する。

問題意識

　授業でバイリンガルについて話しているときに、「ネイティブ」という概念が頻繁に現れていた。「はじめに」で書いたように、「ネイティブ」であるかどうかは私自身にとっても一大課題であり、周りに「移動する子ども」と「第二言語学習者」が多いため、それに対して疑問を持っているのは私だけではないのはよく知っている。今のような複言語社会では、言語の存在形式がますます複雑になり、こんなに大勢な人を困らせているなら、この概念を

再定義するべきではないかと、私は思った。

事例研究と考察

　ネイティブは日本語で大体母語話者だと呼ばれているが、辞書では「出生地の」「自国の」そして「生まれつきの」というふうに解釈されている。つまり日本に生まれて、あるいは日本人であり、生まれてから日本語を聞いてきた人は日本語の「ネイティブ」になる。「ネイティブ」は国籍や人種に定義される。実際に今までの社会でも、この基準で人はネイティブスピーカーであるかどうかを判断するのが一番普遍の考え方だった。

　ニューヨーク大学の日本人サークルには帰国子女がたくさんいる。その中の一人から日本に帰った時にイジメにあった話を聞いた。彼女は日本に生まれ、子どもの頃家族と一緒にアメリカのカリフォルニア州に引っ越し、中学の時また日本に戻った。通っていたのは長野県内の私立校だった。彼女は全校生徒の中の唯一の帰国子女であり、ずっとアメリカの現地校に通っていたため、国語のクラスについていけなかったし、日本語で勉強することにも苦しんでいた。そして周りから「日本人なのに日本語もできないなんて本当にバカだな」という声が聞こえてきて、クラスでは孤立していたこともあった。

　一方、2002年に漫画として出版され、2010年に映画化され、国際結婚を話題にした「ダーリンは外国人」という作品の中には、別の角度からそのステレオタイプが表現されていた。主役のトニーは最初の登場シーンで歩行者に道を尋ねようとした。外国人の顔立ちをしているトニーは流暢な日本語で質問をしたのに、歩行者に「僕、英語ダメ」と断られ続けていた。外国人だから日本語ができないはずという先入観を持たれ、トニーのことばは日本語として認識されていないのだろう。

　日本人だから日本語の「ネイティブ」であって、日本語をうまく使えるはず。外国人だから日本語の「ネイティブ」ではないし、日本語を使えるわけがない。こんなふうに見た目や国籍から「ネイティブ」であるかどうかを判断し、その上その人の言語能力にそれなりの期待を抱えるのは、決して珍しい現象ではなかった。それは30年または40年前までには問題になっていなかったかもしれないが、今のグローバル化が進んでいる複言語社会では、

教科書に書かれたように母語の定義も多様になり、出身地や人種だけでその人がどんな言語を知っているのかを簡単に言えなくなる。だとしたら、「ネイティブ」をどう定義すればいいのだろう。

「はじめに」で書いたエントリーシートで、「ネイティブ」は「カンバセーショナル」と「ビジネス」と一緒に並ばれ、言語能力のレベルとして書かれていた。人種と国籍に関係なく、「ネイティブ」をただの言語力を測る単位として使えばいいのではないかと考えた。そうしたら日本人ではなくても日本語の「ネイティブ」にもなれるし、日本人であっても日本語の「ネイティブ」ではない可能性もある。しかし、それはどんな基準で判断すればいいのだろう。この社会には言語学習者のための能力試験がたくさん存在している。それらのテストは言語に点数をつけ、客観的に言語能力を測ろうとしているが、それは本当に測られるものだろうか。

教科書に書かれたように、言語、特に第二言語の能力には「動態性」「非均質性」と「相互作用性」があり、言語力と言ってもいろんな側面から考えなければならない。私の友だちの中には、家で日本語を喋って育った日系アメリカ人の人がたくさんいるが、彼らは日本で生まれ育った人と同じくらいに自然にそして流暢に日本語を喋れても、漢字がまったく書けなくて日本語の中級クラスに入っている人もいる。また、授業の8割くらいは英語で行われていた高校に入っていた私が初めてアメリカの大学に行ったとき、講義を問題なく理解できたし、「Trichotillomania（トリコチロマニー）」のような難しい心理学専門用語を英語で説明することもできたが、英語環境で生活を送るのは初めてだったため、「Spinach（ほうれん草）」みたいな英語圏の幼稚園児も多分知っていた簡単な野菜の名前を読めなかったこともあった。この話すと書く能力の差と場面によって変わる語彙力をどう捉えればいいのだろう。一方、言語にはニュアンスという曖昧な性質がある。第二言語学習者にとって、それは教室でいくら勉強してもなかなか超えられない壁である。私は今人材関係の会社でインターンをしていて、ある日、英語翻訳を専門として勉強している中国人の女の子の英語面接をすることになった。もちろん彼女はとても流暢に英語を話せて、言いたい事を正確に伝えることができたが、そのことば使いはどうしても堅苦しいイメージがして、すごく違和感を感じていたことを覚えている。それは彼女が会話で普通書きことばで

しか使わない難しいことばを使っていたからだ。意味的には間違っていないが、英語の会話を聴き慣れている人にとっては、少し変わった雰囲気をしていた。そんな彼女の言語力をどう判断すればいいのだろう。

　つまり、「ネイティブレベル」をどこで線引きするかは中々決め付けられないことである。それはその言語を家族から自然習得してきた人に対しても、教科書を使って教室で習得した人に対しても同じなのだ。「ネイティブレベル」と言ったら、自然にずっとその言語環境で育てられていた母語話者のレベルと比べることになるが、日本語の場合、上級学習者になっても語彙量はずっと日本語を使ってきた母語話者の5分の1しか至らない。それは学校や仕事に支障を与えないとしても、確実に差がある。また、「ネイティブレベル」は様々な場面でその言語を正確的に使えることだと主張している人もいる。しかし言語には説明しにくいニュアンスがあって、たとえば文法的に間違っていなくても、おかしく聞こえる時もある。それに、その言語環境で育った母語話者が使っているのは本当に正確なものなのか。「日本人の知らない日本語」というドラマの中では、外国人が日本人の「バイト敬語」を訂正しているシーンもあった。言語は使われている中で変わっていくもの、若者ことばのような従来のルールを守っていない表現もある。それは教科書に書かれているものに比べると、どっちの方が正しいのだろう。

　とにかく、言語のレベルはとても測りにくいのだ。どこまでが「ネイティブレベル」なのかは簡単に決められない。では言語力の象徴にもなれない「ネイティブ」は一体どういうことだろう。大学一年生の時、「The New Yorker」のサイトで李翊雲という方の「To Speak Is to Blunder」のエッセイを読んだことがある。彼女は華裔アメリカ人の作家であり、大学まではずっと北京にいたが、英語でしか作品を書いていない。私が読んだエッセイでは、彼女は自分が母語である中国語を棄てたことについて語っていた。彼女にとって、言語はただのツールではなく、自分の記憶や思考に強く関わるものである。彼女の英語は「ネイティブ」ではないから、いつまでも「外国語」のままだと批判している人もいるが、夢の中でも英語であって、中国語での過去を捨て切った彼女にとってのネイティブランゲージはもう英語しかない。それは彼女が選んだ生き様であり、彼女のアイデンティティの一部になっているのだ。私も似たような経験があった。英語が私の日常の一部に

なってからもう6年くらいが経っていたが、自分は「ネイティブ」だと思い始めたのはつい最近のことだ。高校の時、英語は勉強するためのツールに過ぎなかった。大学になって初めて英語環境に入って、友だちとも英語で話すようになった時も、よくバイリンガルや英語ネイティブと呼ばれていても特に意識しなかった。しかし、今学期に早稲田に来て、自分は中国人の留学生より、英語圏から来ている留学生と話す方が心地いいと感じたことに気づき、アメリカにいなくても英語がどれほど自分の生活に欠かせなくなったかということを実感した。そして私は初めて、自分は英語のネイティブだと認めた。それは別に日本に来てから自分がアメリカ人と思い始めたわけでもないし、英語のレベルが急に伸びたわけでもない。ただこの言語は自分のアイデンティティの一部になっていることに気づいただけだった。

「ネイティブ」であるかどうかは、その人のアイデンティティの一部ではないか。出身や言語力に関係なく、自分でしか決められないものではないか。それは私がいろいろ考えた上で出した結論なのだ。

まとめ

今まで「ネイティブ」イコール「国籍」、または「ネイティブ」イコール「言語力」など、さまざまな角度からこの概念を定義してきたが、複言語環境に生きている人がどんどん増えてきた今、言語はとても流動性のあるコンセプトになり、今までのルールに当てはまらなくなっている。その幅広い可能性に適応するため、「ネイティブ」の定義も変わらなければならない。これから「ネイティブ」を定義できるのは、その言語を使用している個人しかいないと私は思っている。これから言語の使い方は人それぞれになり、百人がいれば百種の状況があるかもしれない。それらはその人間一人一人特有のアイデンティティであって、だからこそその言語への主導権を決めつけるのも自分しかいない。客観的に判断しようとするより、自分に問いかけた方がいいのではないか。「あなたはネイティブですか」と。

参考資料

宇恵和昭監督（2010）「ダーリンは外国人」（原作：小栗左多里）
株式会社ロボット・読売テレビ製作（2010）「日本人の知らない日本語」

川上郁雄・尾関史・太田裕子（2014）『日本語で学ぶ／複言語で育つ――子どものことばを
　　考えるワークブック』くろしお出版

竹林滋・東信行・諏訪部仁・市川泰男編（2003）『新英和中辞典　第7版』研究社

日本語教育学会編（2005）『新版　日本語教育事典』大修館書店

Yiyun Li (2016), To Speak Is to Blunder, The New Yorker. https://www.newyorker.
　　com/magazine/2017/01/02/to-speak-is-to-blunder

課題レポート⑤

唯一ではない「私」

真由 ｜ 国際教養学部2年

はじめに／研究主題：言語とアイデンティティ

　「帰国生」「帰国子女」この二つの言葉が嫌いだ。この二つの言葉の奥には
何も存在しない。「帰国生」であるが故のメリットについてはよく述べられ
る。実際1990年代における「帰国子女」のイメージは英語を流暢に喋るこ
とができると同時に日本の社会や文化について深く理解を示すなどの固定観
念が多く付きまとっていた[5]。しかし、現状は甘くない。バイリンガルの中に
は第一と第二言語が同程度の能力である「均衡バイリンガル」も存在する
が、それだけでなく、二つの内片方の言語に傾く「偏重バイリンガル」、さ
らにどちらの言語も年齢相応の能力に達していない「ダブル・リミテッド」
も存在する[6]。私の場合、どちらの言語も不完全であるという意識から自身を
責め立て、日本人としてのアイデンティティを確立することができない上、
海外に住んでいたことを隠したいと願うほど英語を喋ることに対しコンプ
レックスを持つようになった。このことから言語に対する意識がアイデン
ティティの形成においてどれほどの影響があるのかについて知りたいと考え
た。

5　KANO（2008）。

6　川上郁雄・尾関史・太田裕子（2014）、41頁。

事例：3人の「移動する子どもたち」

　ではまず「移動せざるをえない子どもたち」について説明したい。「移動する子どもたち」（Children Crossing Borders: CCB）は早稲田大学大学院日本語教育研究科教授の川上郁雄により提唱されている分析概念である[7]。経済成長によって海外駐在などが珍しくない時代となり、日本における帰国生は文部科学省によって行われた平成28（2016）年度の「学校基本調査」によると1万2千人を超えた[8]。「移動せざるをえない子どもたち」の概念の中には、両親の都合による「場所」の移動によって第一言語の保持や第二言語の習得に支障をきたすことがあるだけではなく、家庭内の言語が母親と父親で違う場合があるなど「言語間」の移動の意味合いも含む[9]。その核は「幼少期より複数言語環境で成長した経験とその経験についての意識」である[7]。それを踏まえていくつかの実例を述べる。

　ここでは小泉聡子（2011）が行った3人の「移動する子ども」であった20代女性3名（BF1・BF2・BF3）に対するインタビューを参考とする。

　1）アメリカ合衆国出身であり、アメリカ人の父と日本人の母を持つBF1にとって補習校は日本語を学ぶ場所というよりも娯楽の面の方が強かった[10]。その後「全部英語になっちゃった」彼女に対して、母親が積極的に家庭内において日本語に触れさせた。その二つの言語を通し、彼女は日本人の友達と外国人の友達を得ることができたのでとてもポジティブに母親からの教育を受け止めている[11]。しかし、アメリカにいるとアジア人としてのアイデンティティを強く意識するという[11]。また、日本を訪れた際遠慮がちになってしまい、内と外に分ける日本の文化に対し違和感を抱いたという[12]。さらに、日本において自身をハーフや外国人として見分ける人もいるので、それを避けるために日本語は必要不可欠だと考えている[12]。

7　川上郁雄（2011）、「「移動する子ども」からことばとアイデンティティを考える」、29頁。

8　文部科学省（2017）。

9　川上郁雄（2006）、16頁。

10　小泉聡子（2011）、144頁。

11　小泉聡子（2011）、145頁。

12　小泉聡子（2011）、146頁。

2）両親がともに日本語を母語とする BF2 は、アメリカの移民が多い州で生まれ育った[12]。補習校を苦痛に感じており[12]、周囲に日本人が多かったことや両親の母語が日本語であることも相まって、彼女が英語を家庭に持ち込もうとしたとき両親はあまり良い顔をしなかった[13]。共通の家庭内言語を喋るときが彼女にとっては唯一日本を意識する瞬間であった[13]。多種多様な言語が飛び交う地域で育ってきた彼女にとって大学を機にアメリカ中西部へ移動したことは大きなターニングポイントになった[13]。周囲のアメリカ人にとって常識とされることを知らなかったときに自身が日本人であることを強く感じるようになったという[14]。英語を学ぶ過程において多くの間違いをしたことに対し自身のことを卑下していたが、育った環境によって自分の当たり前と他人の当たり前が違うという考えに結局は至った[14]。日本においての経験には少し苦言を呈している。実際日本へ行ったとき日本語を喋るのが怖くなったため口を開かなかったが、問題は彼女の関係者が彼女たち姉妹について「日本語しゃべりません」と周囲に紹介したことだ[14]。関係者から「しゃべれない」と言われたことは彼女に大きなショックを与えた[14]。おそらく客観的に判断されることは今まであまりなく、不安感が増したという[14]。しかし、「日本」は彼女の中に深く根付いており、最終的には自身のことを「好き勝手に好きな部分だけを取り入れた」「Japanese-American」と称している[15]。

　3）日本に生まれ、日本人の両親を持つ BF3 は父の海外赴任に伴い 2 歳半で渡英した[15]。その時現地の幼稚園に通ったことにより、日本語も英語も中途半端になったと語っている[15]。渡英している間、家庭においては母親から日本語を学んでいた[16]。しかし、幼稚園においては日々学習していく単語が英語であったため、母親が辞書を使い彼女の言わんとしていることを理解した[16]。日本に帰国しインターナショナルスクールに通った彼女にとって普通の English Class は難しく、ESL（English as Second Language）は簡単すぎた[15]。その後英語を習得するために努力し、その熱意が上がれば上が

13　小泉聡子（2011）、147 頁。

14　小泉聡子（2011）、148 頁。

15　小泉聡子（2011）、149 頁。

16　小泉聡子（2011）、150 頁。

るほど日本語を使用する機会が減り、生活言語が徐々に英語へとシフトしていった[16]。彼女にとって日本語は家庭内言語であるため必要だと感じていたが、積極的に使用したいとは思っていなかった[16]。ところが、英語をマスターすればするほど家庭内で孤立していく気分になったという[16]。インターで二つの言語を使い会話することのできる環境は本人にとって最も適した環境であった[16]。日系人に近しい立場を取っていると本人は語るが、それでもやはり日系人ではないという思いが強い[17]。しかし、最終的には "I'm a flexible human being." と解釈している[17]。日本に帰国した際、一度公立の小学校に通うが環境に馴染めずインターに転校した経緯を持つ彼女は、日本人だけど日本人じゃないという感覚を味わったという[17]。語彙も足りない上、常識もわからない。補習校に通っていたとはいえ、社会文化的知識を養うことはできていなかった[17]。

考察：3人の「移動する子どもたち」を通して

　この3つの例すべてに共通することは言語に対する価値観だ。アメリカであれば英語、日本であれば日本語、など現在いる国の言葉は授業などで使用するため評価されたり訂正されたりする。しかし、家庭内だけで使う言語の場合他人の目が入らないうえ、内容も限定的だ。補習校の大半も週に1回しか授業が行われないことが多い。それだけでは不十分だ。それに加えて、宿題などが本人たちの負担になることもある。そのような経緯があるからこそ、3人の日本語に関する自己評価がとても低かった。BF2の場合他人からの干渉もあったが、それ以前に日本語を日本で喋るという行為に対し不安感を抱いている[14]。自己肯定感の低さはアイデンティティを揺るがす。言語を満足に喋れないという思い込みこそがアイデンティティの確立を妨害しているのではないだろうか。

　3人全員が「移動する子ども」の核として述べた「幼少期より複数言語環境で成長した経験とその経験についての意識」を見事に表している[10]。英語と日本語を両方扱ってきたBF1にとって「自分は普通の外人じゃない」と主張したいと言っていた[12]。それはもちろん母親が日本人でありルーツを日

17　小泉聡子（2011）、151頁。

本に感じているからということもあるが、2か国語を喋れることの有用性を彼女が身をもって感じたからだ[11]。補習校や色々なコミュニティで日本語を扱うことによって母親から学んだ大切な言語が自身の世界を広げてくれる役割を担ったと感じたからこそ日本語学習への意欲に繋がったのではないだろうか[11]。反対に、BF3は日本語に対しての必要性よりもインターという環境で生き抜いていくために英語が欠かせなかった[16]。また、BF1とBF2はアメリカに住んでいたからこそ自身の中にある日本のパーツを見逃すことができなかった。周りとの会話や趣味についての話などで自然とアメリカに関する話題が上がったとき自身が知らなかったときには、日本を意識せざるをえなかった。これがBF3との差だと考える。インターとはいえ日本に住んでいると周囲の人々も日本にルーツを持っているので意識する必要がない。言語に対する意識もなければ文化に対しての意識もない。そのため、やや希薄の概念になるのは仕方のないことなのかもしれない。

　また、言語意識の形成には言語使用者の自身に対する認識と言語使用者に対する他者からの認識も深くかかわっていることが示唆された。本研究の調査協力者は移動や環境の変化に伴い他者から多様な「立場」を与えられていた。複数の言語や文化を背景に持つ場合、「立場」は特定の言語や文化によって限定される可能性が高く、また、移動により使用言語が変わる場合には、言語使用者は他者によって「母語話者対非母語話者」の構図に組み込まれることもある。このような他者の認識と、言語使用者に「自分は何者か」という葛藤をもたらす[18]。

　このことからわかるように、言語そのものもアイデンティティに影響するが、何より大事なのは本人の気持ちである。言語が喋れないと感じることそのものがアイデンティティに密接に関わっていると考えられる。日本語の使用を迫られたと感じるBF3は日本語に対しどうしても消極的な態度をとっており、「中途半端」であるという意識が彼女にさらなる葛藤をもたらした[15]。また、BF2は日本に実際訪れた際、他人である関係者に日本語の評

18　小泉聡子（2011）、154-155頁。

価を押し付けられたときの「嫌な感覚」は線引きをされたことに起因している[14]。彼女にとっては日本も大切なアイデンティティの一つであったにも関わらず、それを否定されたからだ。BF1 の場合はハーフであるというだけで「日本」という枠の外へ追いやられた感覚を覚えている。このような疎外感が彼女たちのアイデンティティに良い意味でも悪い意味でも深く関わっている。

まとめ／結論：唯一ではないアイデンティティ

　「移動する子ども」に関する良いステレオタイプだけでなく、多くの困難、特段アイデンティティの確立について述べてきた。このことからすべての人が意識しなければならないことは、非母語話者に対して差別をしてはいけないということだ。複数の国に対して帰属意識がある場合、唯一ではないので、アイデンティティが揺るぎやすい。相手が積極的に学びたいと感じていれば指摘もありがたいように感じるかもしれないが、消極的な場合その指摘は彼女の中の一つの「立場」を揺るがす。経験や意識を通して積み上げていったアイデンティティの形成に本人以外が影響を与えたとしても干渉してはいけない。

参考文献

川上郁雄編（2006）『「移動する子どもたち」と日本語教育—日本語を母語としない子どもへのことばの教育を考える—』、明石書店

川上郁雄（2011）「「移動する子ども」からことばとアイデンティティを考える」細川英雄編『言語教育とアイデンティティ—ことばの教育実践とその可能性—』、春風社

川上郁雄・尾関史・太田裕子（2014）『日本語を学ぶ／複言語で育つ—子どものことばを考えるワークブック—』、くろしお出版

小泉聡子（2011）「多言語話者の言語意識とアイデンティティ形成—「ありたい自分」として「自分を生きる」ための言語教育—」細川英雄編『言語教育とアイデンティティ—ことばの教育実践とその可能性—』、春風社

文部科学省（2017）「学校基本調査」、<http://www.mext.go.jp/b_menu/toukei/chousa01/kihon/1267995.htm>、2019 年 6 月 10 日アクセス

KANO PODOLSKY, Momo (2008) Internationally Mobile Children: The Japanese Kikoku-shijo Experience Reconsidered、京都女子大学 <http://repo.kyoto-wu.ac.jp/dspace/bitstream/11173/240/1/0140_002_003.pdf>

バイリンガルの高等教育における言語影響

松原直輝 ｜ 政治経済学部 1 年

1. 背景と先行研究

1-1 動機と問題意識

　本講義でも母語と第二言語について『相互依存説』が紹介されたが、「母語を別に持つ子ども」が第二言語を習得するにあたっての母語との関係の研究は習得過程や習熟度について多数行われているものの、子どもが第二言語で数学などの複雑な教科を学ぶにあたっての過程や習熟度を扱った研究は日本では圧倒的に少ない（アメリカでは、Moschkovich などにより行われている）。従って教え方やその問題点については個々の「現場の経験知」でしかない状態である。

　しかし教育の現場に「日本語を第二言語として習得した子ども」が増えてきていることを考慮すれば、日本語習得や習熟度だけではなく、数学などの複雑な科目の習熟度に焦点を当てるべきである。以下の二点の検討ができなくなってしまう恐れがあるためである。（1）成績に応じて就ける職種が限られてしまい貧困につながる可能性の検討、（2）政治判断には高度な言語能力が要求されるため、仮に日本語を第二言語として習得しても意思決定に参加できなくなる可能性の検討、の二点である。また、（1）を個人的、（2）を政治的・社会的として考えがちだが、（1）が世代を超える貧困になれば格差社会という社会問題に、（2）により実質的に政治的権利が奪われることになれば子ども一人一人の様々な権利が侵害されるため、個人あるいは社会の問題と分けて議論することはできない。

　加えて（個人的な経験であるが）塾などの教育業界では「バイリンガルは数学ができない」という噂をよく聞く。実際に私が塾で教えていた中でも、留学の経験がある「帰国子女」や「日本語を第二言語とする生徒」は数学を苦にしていた生徒は多く、そして完全なる主観だが「生徒の「賢さ」のわりには「数学力」が伸びなかった」という生徒が多い気もするため第二言語を

習得した子どもの、抽象的な学習についての考察を行いたいと考え、このレポートを作成した。

1-2　先行研究

　Cummins（1979）はバイリンガルの教育において、敷居仮説（the Threshold Hypothesis）と相互依存説（The Developmental Interdependence Hypothesis）を提唱している。本林（2006）によると、この２つの仮説について混同が多数見られるが、次のように整理することができる。1）敷居仮説とは「バイリンガリズムの型と認知的発達との関係に関する仮説であり、バイリンガリズムの認知的な恩恵を受けるためには達成しなければならない言語能力の（２つの）敷居レベルが存在するようである」と説明する（本林 2006）。対して2）相互依存仮説とは「第一言語と第二言語の間での転移可能性に関する仮説」である（本林 2006）。またCummins（1979）は相互依存説の根拠として、Skutnabb-Kangass & Toukomaa（1976）によるスウェーデンにおけるフィンランド移民の、フィンランド語（L1）における抽象的思考力が、スウェーデン語（L2）での抽象的思考力（数学や物理学など）に重要な役割を果たすという報告をあげ、従来のバイリンガル教育の否定的要素だけではなく、認知的能力を高める可能性を指摘した（Cummins 1979）。

　これに対し、北野（2006）はマサチューセッツ州のバイリンガル教育廃止運動の研究の中で、根拠として、Beardsley（2000）がバイリンガル教育を受ける第10学年（日本の高校１年）の約80％が1999年の理科の州テストで落第し、87％が数学の州テストで落第していることを指摘していることを報告している。

2.　本レポートの狙い

　本レポートでは、このバイリンガルの学習者のうち「日本語を第二言語とした子ども」が数学などの抽象的な学問を学ぶにあたり、1）どのような過程を通ったか、言語が学習の上で障害になったか、2）先行研究に一致するかどうか、という二点を、私が塾講師時代に担当した二人の「母語を中国語とする」大学生のインタビューから報告する。もちろん研究としては具体例

に乏しく、かつ「数学力」や「思考力」といった抽象的な力は、言語と無関係に「見える」部分が多いことを扱うことに限界があることは理解しているつもりであるが、1つの可能性の報告として見ていただければと考える。

3. 具体事例

3-1　質問内容

今回二人への質問として、次の3つを質問した。

1) 授業中や考える際には、何語で考えているのか。また言語の変化はあったのか。2) 日本語における論理などの不安はあるか。3) こうすれば良かったというものはあるか。董さんには直接インタビューすることができたが、時間の関係上、中張さんには過去の私との対話から思い出した部分を取りあげ、メッセージで確認するというやりとりになってしまった。

3-2　董さん

(1) インタビュー内容について

董さんは中学生の時に両親の仕事の都合で日本に引っ越し、日本の中学に編入、高校を受験し、日本の大学に入学した。日本語については、発音は独特ではあるが言語を理解する力に全く問題はない。現代文の点数もセンター試験では8割を超えている。1) については、初めは日本語の授業内容を中国語に置き換えて聞いていた。中1・2のときは中国での小学校の勉強の方が進んでいたため、この2年間は日本語用授業に参加し、勉強では苦労はなく、気づいたら日本語で考えられるようになっていた。高校時代も古文以外は、現代文でも普通にこなせる。高3で塾に入ってから「これだけできる人がいるんだ」と驚いたそう。2) はじめは漢字についている平仮名がわからず意味がわからないこともあったが、今では日本語には全く不自由は感じない。中国語で話している中であれば中国語で、日本語で話している中では日本語で考えるが、特にどちらにも不便も感じない。3) についても、もう少し勉強した方がよかった、程度はあるが言語的な障害については何も感じないという。

(2) その他気になった点

董さんと話していて気になった点が2つある。1つは、（彼の住んでいた

地域が中国から来た方が多かったこともあって）彼のお父様は、日本に移住するにあたって周りの方から「家庭では本人に中国語で話すように」という注意を受けたそうである。理由としては、中国から日本に来た人たちが、特に小学生かそれ以下の年齢で日本に来て、注意を怠ると子どもが中国語を話せなくなってしまうという「経験知」のようなものがあるらしい。もう1つは、彼が今大学でグループワークをする中で感じることとして、言語を複数喋ることと積極性や「自分で疑問を持つ力」に深く関わるという話である。彼は、その例として何年も日本に住んでいる中国人の留学生で日本語がそこまで上達しない人たちを例に挙げ、そのうちの多くが「自分から動かない」と形容し、その理由として（特に現代では）わからない単語や知識を調べるのは容易になっており、そういうことをしようとしていないから話せるようにならない気がすると考察していた。

3-3　中張さん

中張さんは小さい時から日本語で教育を受けているのに対し、家庭内言語は日本語と中国語が混ざるが中国語の方が多い（お母さんと私が面談したことがあるが、細かい部分については中張さんが中国語で通訳をして通じるというくらいである）。現代文の成績や文系科目の成績はかなり高かった。

1）については日本語で考えているが中国語を話しているときには中国語で考えており、一方の言語から他方へ翻訳をするということは全くない。また小学生の時から日本にいたので、中国語から切り替わったという考えもないようである。2）数学などの抽象的な科目に自信があるわけではないが、「日本語だから不安」ということは全くない。文系科目で得意な科目は多くむしろ日本語で学習するという方が通常になっている。3）こちらも日本語だったから、どうこうというのは全くないと感じている。

4.　考察

1）思考中における言語というのは、気づいたら日本語でできるようになっていることは共通であり、おそらくこの「スイッチ」が容易にできることが、二言語話者の認知的な能力の高さ、あるいは多様な思考力を可能にしていると考えられる。特に今まで意識してはいなかったが、理系で（法学の

専門的な勉強を積んでいるわけではない）董さんの「表現の自由」への捉え方というものは、中国・日本の双方での教育を受け、双方に友だちをもつからこそその「生き生きさ」を見いだすことができるのではないかと感じた（詳細は紙面の関係上省略）。2) についても、日本語だからということで不安に感じることはないようである。董さんの方が少し「知らない語彙があることはある」や「文学の話になると…」とおっしゃっていたが、学問的にも苦労しているということは感じないということであり、3) についても日本語だから、ということを特に二人ともあげなかった。

　二人とも、日本語という第二言語を通した教育ということに不安は感じておらず、最初に苦労はあったが二人とも日本での生活が 5 年以上経ち、少なくとも高校時代の学習において言語の障害は感じなかったという。私個人としては、数学の授業において本当にわかったかどうか、ということを二人に疑問を抱いたことは一度ではなかったが、これと言語を結びつける考えは（少なくとも二人から見て）私の主観でしかないといえるだろう。これは数学教育につながるかもしれないが、少なくとも「わかっている、わかっていない」について検討するには、高校卒業後の「振り返り」ではない「途中過程」における研究が必要とも考えられる。

　ただ、二人の教育的環境がバイリンガル教育としては比較的良い環境であったということもあげられるかもしれない。董さんについていえば、日本に来た際に、(1) 日本語学級がある学校に来たこと、(2) 日本語習得までの教科内容が既習であったため習得に集中できたこと、(3) 彼の交流のうまさ、(4)（彼自身の印象ですが）中学の最初の日の給食で、同級生からとてもフレンドリーに接してもらった印象がある、といった要素があったこと。中張さんは小学校から通っているために勉強については、おくれている、ということがなかったこと、というのもあるのかもしれない。

5. 結論

　まず二人とも日本語に不安は全くないこと、加えて現代文の成績でもセンター試験での得点は 8 割を超え、日本語母語話者とも遜色がないどころか、高い「日本語力」を示している。先行研究に照らし合わせれば、滞在年数が 5 年以上であり、日本語能力も十分であるとすると Cummins の敷居仮説の

指摘する通り、日本語母語話者に比べ、高い認知的能力を発揮しているといえる。

　加えて、二人とも数学などの抽象的思考力を日本語が原因とは全く考えていないこと、また現代文の力などから客観的に考えても日本語が原因とは考えられないことがいえるだろう。はじめの「帰国子女は数学が苦手」と言われているものは、個人差によるものか、あるいは滞在年数が短いためにCumminsの指摘する敷居仮説の第一の敷居を超えていないゆえに、バイリンガルとしての認知能力のメリットを活かしきれていないということが理由としてあげられるのかもしれない。同時にマサチューセッツ州のバイリンガル教育による結果については、より細かい分析を要するのではないかと考えられる。

6. 参考文献

Cummins, J. (1979) Linguistic Interdependence and the Educational Development of Bilingual Children, *Review of Educational Research*, 49, 222-251.

本林響子（2006）カミンズ理論の基本概念とその後の展開：Cummins (2000) "Language, Power and Pedagogy" を中心に，言語文化と日本語教育，31, 23-29.

北野秋男（2006）マサチューセッツ州におけるバイリンガル教育廃止運動の経緯と背景——州知事・州議会・州住民による廃止運動の政治的側面に関する研究——，比較教育学研究，32, 67-85.

再引用

Beardsley, Elisabeth, 2000, "New Reform Bill Sparks Furor among Bilingual Supporters," State House News Service, pp. 1-2; 2000.9.6, "East Coast Feeling Tremors of West Coast Bilingual Reform Success," State House News Service, pp. 1-2.（北野 2006 からの再引用）

Skutnabb-Kangas, T. & Toukomaa, P. Teaching migrant children's mother tongue and learning the language of the host country in the context of the socio-cultural situation of the migrant family. Helsinki: The Finnish National Commission for UNESCO, 1976.（Cummins 1979 からの再引用）

7. 最後に（謝辞）

　私自身も塾講師を辞め、二人とも高校を卒業しているなかで、友人としてインタビューに応じてくれた董さん、中張さんには感謝しかありません。数学という科目自体、言語と無関係の部分が強くあることは間違いなく、言語

を原因として持ち出すこと自体が、私自身の教え方の問題があったことの責任転嫁なのかもしれません。その反面、講師を辞めてなお、常にあるのが本人の力を考えれば「もう少し」私が何かしてあげられたのでは、という反省です。その反省について、あるいは、高校時代の二人の学びについて、私が見てきたことを書くにはこのレポートにはあまりにも狭すぎます（笑）。とはいえ、講師として大変貴重な経験をさせてもらっただけでなく、このような機会までいただけたことにお二人に、ただただ感謝です。

課題レポート⑦

アイデンティティとことばの関係

N.N. ｜ 国際教養学部

1. 研究主題

　複数の言語の中で育つ移動する子どものアイデンティティ形成にことばはどのような影響を及ぼすのか。

2. 問題意識

　グローバル化が進む現在、さまざまな理由で移動し、複数の言語を使用する環境で育つ、「移動する子どもたち」が増えている。私自身も幼少期から長期に亘りアメリカに滞在しており、複数言語を使用して育ってきた。複数の言語を使用する環境で私は自分の言語能力を周りの人の言語能力と比べて自分の言語能力を低く感じたり、他者からの期待などから、自分のアイデンティティについて悩むようになった。その経験から幼少期に育ってきた環境や言語にアイデンティティは大きく影響されることを知り、アイデンティティ構成におけることばの影響について興味を持った。

3. 事例研究

　日系2世のアイデンティティ形成における言語の影響について研究した京都大学の内山絵理華は複数の言語の中で育った子どもへのインタビュー

をしている。そのインタビューの中には日系2世である子どもたちが感じる劣等感が読み解ける。そのインタビュースクリプトには、「自己肯定感がちょっと少ない、（中略）頑張ってないわけじゃないんですが、自信が持てないことがあるのかもしれない。言語にも影響するのかもしれませんね。1つの言語に長けているわけではないので。でも、ドイツ語はドイツ人に負けてしまうじゃないですか。すごい頑張っていますから、…私も少しわかるんですけど、私も頑張ってきましたけど、ドイツ人にはなれませんよね。ドイツ人のドイツ語には。常に挫折を経験しながら生活しているわけです。…全部わかるんですけど、例えばちょっとしたことが返せないとか、ニュアンスがうまくいかないとか、文章を書いたら間違えるとか。100%でやっているつもりなのに間違えてしまうとか。そういったところっていうのが、日本にいた時は感じなかったことなので。ここじゃ常に打ちのめされながら生きているっていうのは事実なので、そういったことを感じながら生きているのかなともちょっと思います」とある（内山：123-124）。

　また本授業で扱った教科書、『日本語を学ぶ／複言語で育つ──子どものことばを考えるワークブック』にある、アメリカから日本の大学に留学中の日系3世、ジェームズさんのインタビューの一部には「漢字が弱いので読む力が十分ではないし、発音も聞き取りも自信がありません。（中略）それに、外見は日本人と同じ顔立ちなのに日本語が期待されたほど話せないと、この人はどういう人だというふうに見られるのが、一番つらいです」とある。これに似た経験で、私自身も、自分の日本語能力に自信を持てずにいたことがある。それは帰国してからできた友人に日本語での表現がおかしいなどと指摘されたからだと考えている。

4. 考察

　内山の行ったインタビューからわかるのは言語能力が移動する子どものアイデンティティ構成に大きく影響することだ。インタビューされた日系2世の子どもの「自己肯定感がちょっと少ない」という言葉から、言語への劣等感が子どもたちにその言語を使用する国の人だ、と明言させるのに迷いを生むことがわかる。また、ジェームズさんのインタビューにも、「自信がない」とある。二つのインタビューに共通している言語能力に自信がないこと

は、他者からの評価に大きく影響されていることがわかる。

　さらに、ジェームズさんと似た経験で、私自身も、自分の日本語能力に自信を持てずにいたことがある。帰国してからできた友人に日本語での表現がおかしいなどと指摘されたからである。私は両親共に日本人だった。そのため、家庭内言語は日本語だった。そのため、日本語でのコミュニケーションが一見しっかりできているため、自分の日本語能力に自信がなくても周囲にその不安を理解してもらえなかった。ジェームズさんも同様、自分の外見（日本人の顔立ち）に基づいて生まれる他者からの期待と自分の実際の言語能力に差を感じ不安を抱いている。ジェームズさんや私自身の場合、周りの第一言語を日本語として生活する日本人と比べ、自分たちは周りの日本人のように日本語を話せないと感じてしまい、その結果、自分は日本人ですと明言するのを躊躇してしまう。このように、それぞれの持つ言語能力に対する自信がアイデンティティ構成に大きな影響を与えると考えられる。

5.　結論と今後の課題

　先ほども述べた通り、自分たちの持つ言語能力に対する自信がアイデンティティ構成に大きな影響を及ぼすと考えられる。移動する子どもたちは自分の言語能力を他者との比較で判断し、その結果自分の言語能力に自信を持てずにいることが多いと考えられる。そのことから、自身のことば（言語能力）に対する自信がそれぞれのアイデンティティ形成に影響を与えると考えられる。つまり、自身の言語能力に自信があれば肯定的に自分を見ることができ、逆に周りとの比較で自分の言語能力に自信を持てなかった場合、あまり肯定的に自分を見れなくなるのだ。この不安から移動する子どもたちは自分のアイデンティティについて悩んでしまう。移動する子どもたちが増えている中、私達に与えられた課題は、このように移動する子どもたちが自分の言語能力に自信を持てずに不安を抱いていることなどを知り、周りの人の移動する子どもたちに関する認知を広めることだと考える。周囲の認知を広めることで、移動する子どもたちが自分を受け入れてもらえている、と感じられるような環境を作ることができるのだと考える。そうすることによって、移動する子どもたちは自身の言語能力に劣等感を抱かずに済むのではないのだろうか。子どもたちが抱える自身の言語能力に対する劣等感を少しでも減

らしてあげることができれば、移動する子どもたちは自分の成長の過程でアイデンティティを構成していけるのではないだろうか。また、複数の言語を使用しながら成長していく子どもたちに私たちがしてあげるべきことは、自分のアイデンティティは自分たちが成長していく上でさまざまな経験をし、それらを振り返りながら構築していくものであること、更に、自身の経験から培った複数の言語能力とどのように向き合い、どのように生きていくのかが大切である、と教えてあげることだと考える。今後は移動した子どもの体験談などを聞く機会を増やし、移動する子どもたちに移動をさせられたのは自分一人ではないこと、言語能力に劣等感を抱きその劣等感から自分のアイデンティティについて悩む必要がないことを教える機会が増えることを期待する。

6. 参考文献

内山絵理華（2017）「日系2世のアイデンティティ形成における言語の影響と役割──継承語教育の観点から子どもの心を解く」『コンタクト・ゾーン』vol. 9, pp. 98-141.

川上郁雄・尾関史・太田裕子（2014）『日本語を学ぶ／複言語で育つ──子どものことばを考えるワークブック』くろしお出版

課題レポート⑧

座学では学べない日本語

T.Y. │ 政治経済学部2年

イントロダクション・問題提起

　国際交流基金の2015年度調査では、海外で日本語を学習する人は約370万人という数値が出ています。また、文化庁が2018年度にとりまとめた日本語教育に関する調査では、国内における外国人の日本語学習者は約24万人と、前年度より2万人以上、約一割増加したことが明らかになり、今後も日本で暮らす外国人は増加すると推測されていることから、日本語教育の重要性はますます高まると言われています。そのなかで、日本語教育学への

興味が高まりました。

　また、私自身の経験も日本語教育に関心を持つきっかけになりました。私は 小・中・高と 12 年間中国の上海で生活をし、そこでたくさんの日本の文化・日本語に対して興味を持っている外国人や、日本国籍ではあるものの日本語があまり得意ではなく頑張って習得しようとしている日本人等さまざまな人と触れ合って来ました。また、現在も政治経済学部の英語学位プログラムという授業を基本的に英語で行う約 7 〜 8 割が留学生のプログラムに在籍しているため、日本語を現在進行形で学んでいる学生に囲まれて生活をしていて、実際日本語に関して質問をしてくる学生も少なくはありません。私が今まで知り合って来た日本語学習者の多くはとても勤勉で一生懸命日本語を学んでいました。しかし、彼らと話しているととても上手だな、とは思うもののやはりどこか日本語母語話者が使う日本語とは少し違うなと感じることが多く、何がどのように違うのか興味を持つ様になりました。

　これらのきっかけで日本語教育についてもっと知りたいと考え「複言語社会を知る」を履修し移動する子どもたちの日本語教育について学んでいく中で、『日本語を学ぶ／複言語で育つ──子どものことばを考えるワークブック』（川上郁雄・尾関史・太田裕子、2014）内のキーワードである生活言語能力や日本語学習とアニメ・マンガ、内容重視の日本語教育などの、「座学では学べない日本語」という観点に着目し、ただ先生のお話を聞くだけでは、ただ教科書を読んだだけでは学ぶことのできない日本語について幾つかの事例を参考にしながら理解を深めていきます。

事例研究・考察

　まず、事例研究に入る前に触れておきたいのが、もちろん座学で学ぶ日本語もとても重要である、ということです。日本語はひらがな、カタカナ、漢字の 3 種類の文字を合わせて使うとても複雑な言語であり、そのひらがな、カタカナが持つ音を学ぶのはもちろんのこと、漢字という共通点から音読みや漢字の持つ意味の推測が出来る中国人を始めとしたアジアの方ならともかく、欧米人は記号にしか見えない 2000 を超える常用漢字についても学ばなければいけないため、それらをベースに教える座学の存在というものは非常に大事なものです。しかし、日本語特有の語彙や表現、言い回しなどは座学

だけでは学ぶことは出来ず、その時にいいリソースになるのが日本のマンガやアニメ、俳句などの文化であると考えています。

事例研究・考察

　日本語の特徴の1つとして、語彙が非常に多いということが挙げられます。日本語は1つの単語に対して数多くの表現方法があり、例えば、雨に関する語彙だけでも「五月雨」や「時雨」、「夕立」や「梅雨」など思いつくだけで幾つもの単語があります。また、これらの言葉には雨の降りかたや時期だけではなく、周りの情景や人々の心情まで表現として取り入れる方もいて、日本語が母語である私たちはそれを連想することが出来ます。しかし、日本語が母語ではない、ある程度成長してから日本語を学び始めてきた方に対していきなりこれらの語彙を1つ1つ座学を通して論理的に違いを教えたところできちんと理解出来るとは思えません。その中で、私がこれらの語彙のニュアンスの違いを的確に理解するのに良いリソースだと感じているのがアニメや映画、ドラマなどです。時雨や五月雨、梅雨などの表現はこれらのコンテンツ、特にアニメでは頻繁に用いられていて、その時の降っている雨の量やキャラクターの心情などで細かいニュアンスの違い、雨の降っている時期や時間帯、量など微妙な違いを映像を通してでも感じることが出来て、日本語の持つ繊細な表現やキャラクターや人物の心情を語彙に投影するという日本語ならではの特徴などを学ぶことが出来ると考えています。

　日本語の語彙が持つもう1つの特徴として、日本語ははっきり言わず回りくどい表現をするものが多い、ということが挙げられます。日本には「本音と建前」や「言外の意味」というような言葉がある様に、言葉の裏に隠された部分まで理解しなければ正しい意味が伝わらないことがたくさんあります。日本語は実際に言葉として表現された内容よりも、その文に込められている文脈によるコミュニケーションがとても高い言語であると考えていて、抽象的な表現での会話が可能である一方で、抽象的であるが故に起こりうる誤解も多いと思います。日本語が母語である日本人同士でも誤解が生まれる時はあり、それが日本語を母語としない外国人だと、より意味の伝達ミスが生じうると考えています。例えば、日本語の表現の後に「食後にテーブルを片付ける」という表現があります。これは日本語母語話者からしてみれば

テーブルの上にある食器などを片付けるという意味としてきちんと伝達されるものの、座学で勉強してきた外国の方、日本の高文脈文化に慣れていない方はテーブルそのものを片付けるという様に捉えてしまい、伝達ミスが起きてしまいます。幾ら座学を通して単語量を増やし直訳的な翻訳が出来る様になっても、その裏にある文脈をきちんと理解していなければ日本語でコミュニケーションを取るのはとても難しいのです。この点に関しても日常会話を学べる実生活で日本人と喋るという機会はもちろんのこと、言い回しや比喩表現、皮肉などを多用しているアニメや漫画などは非常に優れたリソースであると考えています。

　「複言語社会を知る」の授業内で、「マンガやアニメは日本語学習のリソースになるのでしょうか」という問題に対しての議論が行われた際、多くの学生が「日本語に興味を抱くきっかけの１つであるなら良い」「マンガやアニメをリソースに使っているほとんどの日本語学習者は初心者である」というような意見を持っていました。私も初めは同じ様な意見を持っていました。しかし、今もう一度考えてみると、もちろん日本語や日本の文化に関心を持つきっかけとしてアニメやマンガ、ドラマなどの存在価値はとても大きいですが、座学を通して日本語の単語量が増えた方がこうしたものを見ると、より深く、より凡庸的・日常的な日本語表現を学べると考えていて、決して初心者が使うリソースではないと思う様になりました。日本のアニメやマンガ、特に大人向けの物はパロディやモチーフ、比喩表現やダジャレなど細部の表現にまで関わっていて、日本語学習の初心者が全て正しく理解出来ているとは思いません。むしろ日本語学習の上級者が見ることでより細かい表現を知ることが出来て、日本語の奥深さ、繊細さを理解出来るようになることから、これらは日本語学習においてとても良いリソースであると考えています。

結論・今後の課題

　外国人の日本語話者が増加している現代社会で、日本語教育の重要性もそれに合わせて高まっています。その中で、日本語教育のあり方についてもより建設的な議論が必要であると考えています。日本語教育のあり方において、ただ授業を聞いたり教材の問題を解いたりするのも１つの日本語学習

法ではあるものの、それだけでは日本語が持つ綺麗な表現や言い回しは身につき難いと考えています。一方で、アニメやマンガ、ドラマは日本語学習の良いリソースではないという意見があるものの、これらを楽しみながら見たり読んだりすることで日本語特有の比喩表現やパロディ、ダジャレなどを身につけることも立派な日本語学習法であると考えていて、より日本語を母語とする人が使っている日本語により近づけるのではないか、と考えています。座学で培った基礎知識を持ち、座学で学んだ単語をマンガ、アニメに活用していくことで、細かい文脈や言い回しなど、日本語がうまくなかった頃には理解できなかった、深い日本語表現を知ることができて、より日本の文化も楽しめるようになるのではないでしょうか。

参考文献

川上郁雄・尾関史・太田裕子（2014）『日本語を学ぶ／複言語で育つ——子どものことばを考えるワークブック』
国際交流基金「日本語教育機関調査」関連 URL: https://www.jpf.go.jp/j/project/japanese/survey/result/
文化庁「平成 29 年度国内の日本語教育の概要」関連 URL: http://www.bunka.go.jp/tokei_hakusho_shuppan/tokeichosa/nihongokyoiku_jittai/h29/

課題レポート⑨

アイデンティティについて

A.I. ｜ 政治経済学部 1 年

0. はじめに

　私は 0 歳から 3 歳、10 歳から 14 歳の計 8 年間をアメリカで過ごした。そこで現地校と補習校に通い、私と同じように二国を行き来している友人や、さらに沢山の国を転々としている友人らと出会った。日本に帰国してからも日本唯一の帰国子女・外国籍の生徒しかいない中高一貫校に通った。私はそこでも様々な国との繋がりがある友人らと出会い、自分は一体何人なのだろう、母国とは、母語とはなんなのだろう、という問いにずっと直面して

きた。

1. 研究主題

「複言語社会を知る」の授業内でも取り扱った「幼少期より複数言語環境で成長する子ども」[注1]のアイデンティティについて。子ども自身が感じている自分のアイデンティティはもちろん、そのアイデンティティと客観的にその子どもを見たときに受ける印象とのギャップなどについても扱う。

2. 問題意識

前述した通り自分が帰国子女で、周りにも海外となんらかの関係がある友人が多かったこともあり、複言語社会とアイデンティティは身近なものだった。ただ自身は「とても運のいい人間」[注2]だったため自らのアイデンティティについて悩んだことはなかった。しかしアメリカで通った補習校と日本で通った中高一貫校では、アイデンティティについて深く悩んでいる友人が多かった。その話を聞いているうちにさまざまな事例や知識を得、自分のアイデンティティについても考えることが多々あった。また自分のアイデンティティを考えることで、自分が思っている「自分」と他人から見た自分とのギャップにも驚くことが色々な場面であった。この授業を通して再度アイデンティティに悩まされている事例やクラスメートの体験談などを耳にし、一番興味をもったのでこのテーマでレポートを作成しようと思う。

3. 事例研究

私がアメリカで通っていた現地校は日本人がとても少なかった。同じ学年に男の子が一人、一つ下の学年に女の子が二人、付属の幼稚園に女の子が一人だけだった。だから現地校では「日本人の子」という認識をされていたし、私はそれに特段不満も抱いていなかった。しかし小学校6年生に上がった時、補習校で「故郷」について取り扱う授業があり、そこで自分の故郷についての作文を書くという宿題が出た。私は周りから「日本人の子」という強い認識をされており、自分自身も日本人であるという認識をしていたので「私の故郷は日本の愛知県にあります」という書き出しから作文を始めた。だが途中で行き詰まってしまい、何かヒントを得ようと「故郷」につい

て調べた。するとどうも故郷は大きく「生まれ育った土地」のことを指すのだということが分かった。補習校の授業では「心が休まる場所」や「自分になじみがある土地」などかなり抽象的な説明をされていたため、私にとってそれは衝撃的だった。なぜなら私の生まれ育った土地はアメリカのミシガン州だったからである。日本の愛知県には人生の半分も住んでいなかった。私はそこで初めて自分の故郷、母国とは一体どこを指しているのか、という問いに直面したのだった。またそこで、それまで何の疑問もなかった「自分は日本人である」という自信も揺らいだのである。自分のアイデンティティを見失った出来事である。

―友人の事例―

　私にはインドネシアと日本のダブルの友達がいる。両親は共に今でもインドネシアにおり、彼女だけ来日し、祖父母と一緒に暮らしている。ある日一緒に遊んだ帰り、電車に乗っていると2人の高校生が友人を見て「日本人じゃないよね」と話しているのが聞こえた。友人は目も大きく彫りが深い顔立ちをしていて、確かに所謂日本人っぽい顔立ちはしていなかった。また足も長くスタイルが良かったので目立っていたのだろう。私は彼女が私よりも流暢な日本語を話し、感性も味覚も日本人らしいということを知っていたのでそれまで彼女が「日本人ではない」可能性を考えたことがなかった。その高校生が降りた後友人は私に「私ってそんなに日本人じゃないかな」と聞いてきた。私はそれに対して「考えたこともなかった」と素直な気持ちを伝えた。その時私は自分自身が思っている「自分」と客観的に見られた時の「自分」とは大きなギャップがあるのだということを改めて確認した。自分でアイデンティティをきちんと認識していても、他人の何気ない言葉でアイデンティティは簡単に揺らいでしまうということを目の当たりにした出来事だった。

4. 考察

　私の経験は授業で扱った「国籍・出生地・生育環境」に深く関係している出来事だ。p. 29 の (注3)「Hana さんのスピーチ」は私ととても境遇が似ている。私の場合は「故郷」の問題だが、彼女の場合は「何人」の問題であ

る。しかし私はこのスピーチを読んで、何も無理に自分の「故郷」を一般的な故郷の定義にあてはめようとしなくても良いと感じた。日本の愛知県は私にとっての故郷で、アメリカのミシガン州は私にとって大切な場所である。それで良いと思えた。

　友人の経験は授業で扱った「自分が思うことと他者が思うことの間の意識」そのものの出来事である。ショートムービー「生まれつき」も同様の問題だ。少しニュアンスは違うが、たとえばp. 20 ^(注4)の「あなたは、○○国から来たのだから、○○人の誇りを持って生きていきなさい」というのと若干似通っていると感じられる。見た目や言語が異なっていても、その人が△△人であると思っているのならそれが全てなのではないだろうか。

5. 結論と今後の課題

　アイデンティティというのはやはり難しい問題だ。人の数だけアイデンティティがあるからである。またデリケートな問題でもある。扱うのが難しいからこそ、これからもアイデンティティについて考え続け、学び続けなければいけない。そして授業でも学んだ通り、アイデンティティは未完成で流動的である。そこにある型に自らを無理やり押し込もうとするのではなく、他者との関係性や、経験などを踏まえてその都度自己のアイデンティティを決定していくことが大切だ。

> 注1：「複言語社会を知る1」シラバスより
> 注2：『日本語を学ぶ／複言語で育つ──子どものことばを考えるワークブック』ページ29より
> 注3：『日本語を学ぶ／複言語で育つ──子どものことばを考えるワークブック』ページ29から30より
> 注4：『日本語を学ぶ／複言語で育つ──子どものことばを考えるワークブック』ページ20より

6. 参考文献

エリン・メイヤー（監修：田岡恵　翻訳：樋口武志）2015年『異文化理解力──相手と自分の真意がわかる　ビジネスパーソン必須の教養』英治出版
川上郁雄・尾関史・太田裕子　2014年　『日本語を学ぶ／複言語で育つ──子どものことばを考えるワークブック』くろしお出版

現在の日本語教育に対する外国人児童問題について

キム ハヨン ｜ 教育学部 1 年

1. はじめに

　日本にはおよそ 263 万人（2018 年 6 月末基準）以上の外国人が在留している。文部科学省によると、平成 28 年（2016 年）の調査では日本語指導が必要な外国籍の児童生徒数は 34,335 人で前回の調査（2014 年）より 5,137 人増加した。だが、平成 21 年度（2009 年）を基準に、学校に就学している外国国籍の児童は 12,804 人である。外国人の人口が増えていることを勘案しても不就学児童の数が多いことは認めざるを得ない。文部科学省の調査結果によると不就学の理由としては学校に行くためのお金がないからが 33 パーセントで 1 位を、2 位は日本語が分からないから（16％）である。学校に通っている外国人児童の場合にも、日本語を教える先生がいなくて段階的に日本語教育を受けられない子どもたち、日本語での学習に問題がある（日本語で話はできるがテストをすると点数が出ない）子どもたちが多い。日本に在住している日本語教育が必要な外国人児童の数は増えているが、日本語教育を受けられる子どもの割合はまだまだ低い。

　果たして日本語教育を受けてない（日本語ができない）外国人児童がどんな問題をとらえているだろうか。

2. 外国人児童の日本語教育に対する問題点

　日本語教育を受けることができない子どもたちに対する問題は大きく 2 つに分けることができる。

1) 学問に対する問題

　かなりの人数の外国人児童は学校に通ってない。その主な理由は学校へ行くためのお金がないから（2009 年文部科学省の調査で結果不就学の理由 1 位）である。学校へ通ってない子どもたちの中 60％は家で何もしてないま

ま日中を過ごす。自分で勉強をする子どもは12%にすぎない。この子たち
は小・中等教育を受けてないため高等教育を受けることができないことはも
ちろん、日本語の実力も滞在した期間に比べて極めて低い。そこで日本語を
使う必要がない比較的に安い賃金の単純労働しかできず、貧困の悪循環が続
くことになる。

　就学児童に対しては日本語で学問をすること自体が大きな負担になる問題
がある。日常生活で日本語を使うことに問題がない子どもであっても授業の
理解ができないという子どもが多い。これは生活言語能力と学習言語能力は
習得するのにかかる時間が違うためである。生活言語能力は日常の使用する
言葉を指す。1年から2年で簡単なやり取りができるようになるといわれる。
一方、学習言語能力は認知的活動で使用する言語能力のことを言う。子ども
にとって理解しにくく、習得するのに5-7年がかかるといわれる。そのた
め、外国人児童は日本の子どもと同じく学習をすることが難しい。この問題
は子どもたちが授業を聞いても理解ができず学校の勉強ができなくなり、学
問に限界を感じる可能性を高くする。

2) 社会的人間としての問題

　不就学児童の中で日中友達と遊ぶと答えた子どもは12.6％であった。何
もしてないまま家にいる（60％）、自分で勉強をする（12.6％）より低い数
値である。学校に通っていないため同世代の子に会うことができず、友達が
いない子が多い。周りに同世代の子どもがいても、日本語ができないので話
が通じなく、友達を作ることがなかなかできない場合がある。結局、不就学
児童は他人とコミュニケーションをする機会が少なくなり、社会的人間にな
る教育を受けることが難しい。

　就学児童も同じく話が通じないことによるストレス、誤解やトラブルが起
きる可能性が高い。また、文化の異なりによる誤解やトラブル、外国人差別
（国籍や人種による差別、いじめ）などが問題になっている。

3. マリアとセイン カミュの話

　外国人児童の日本語教育の限界点（問題点）に関する例として『日本語を
学ぶ／複言語で育つ——子どものことばを考えるワークブック』に載せてい

るマリアの話をすることができる。クラスの担任の先生によると、マリアは小学校2年生の頃、母親と来日したフィリピン人である。編入するときは日本語が全くできず、通訳者も探せなかった。そこで取り出し教育もできず、基本的な日本語も学べないまま椅子に座って授業時間を過ごした。高学年になったマリアはだいぶ日本語が話せるようになり、友だちもできた。時間と共に日本語の実力は伸びたが、まだまだテストの点数は低い。簡単な問題であっても文章問題はほとんどできず、授業についていくことに難しさを感じたそうである。

『私も「移動する子ども」だった』のセイン カミュのインタビューにも似ている話が出る。セイン カミュも似ている問題を経験した。セイン カミュはアメリカ生まれでフランス系のアメリカ人である父とイギリス人の母の間に生まれて、母の再婚者が日本人であったため日本に来た。学校の唯一の外人だった彼は全く日本語ができず、彼に対する学校の雰囲気は「習うより慣れろ」であったそうだ。担任の先生と一緒に基礎日本語を学びはじめたという。彼はクラスメートから見て珍しい格好だったので「外人だ」とよく言われた。それがトラウマになり外人という言葉に敏感になったという。

このようなマリアとセイン カミュさんの話から外国人児童が接する問題をみることができる。

4. 何が必要か

第一に、学校は外国人児童教育に関する確定されたシラバスが必要である。日本語の「初期教育」の段階では、指導者がどのように教えればいいかを決めているシラバスがないという指摘が出ている。子どもたちがより体系的な日本語教育を受けるために各段階による日本語教育シラバスを定めて、そのシラバスに当てはまる教育をする必要がある。

第二に、外国人児童が日本人や日本の文化について学ぶ機会を与えるプログラムが必要である。児童期の文化の異なりからくる混同を防ぐためには自国の文化と日本の文化をきちんと学ぶことが大事である。外国人児童に文化や日本の習慣について教えながらその異なりを理解し、自分のアイデンティティを確立することができるように手伝う必要がある。

5. 結論——今後の課題

　文部科学省の調査によると、日本語指導が必要な児童生徒は集住化・散在化しているという傾向がみられる。「日本語指導が必要な児童生徒の受入状況等に関する調査」の結果より公立小・中・高等学校等に日本語指導が必要な児童生徒が在籍する市町村数は「在籍あり」が933市区町村（53.6%）で、「在籍なし」が808市区町村（46.4%）であった。公立小・中学校に日本語指導が必要な児童生徒が在籍する学校数（公立小・中学校30,265校）も「在籍あり」が22.7%（6,864校）である。そこで現実を考えてまず外国人児童が集中的に居住している地域を主にして日本語教育の支援をして、その後支援地域を拡大していくことが大事だと考える。

参考文献

・『「移動する子どもたち」と日本語教育』川上郁雄編
　　P.14　第1章　年少者に対する日本語教育の課題　川上郁雄
　　P.23　第2章　年少者日本語教育実践の観点——「個別化」「文脈化」「統合化」——川上郁雄
・『私も「移動する子ども」だった——異なる言語の間で育った子どもたちのライフストーリー——』川上郁雄編
　　P.77　移動する子ども④——長野に着いたとき、「タイ語、禁止」と言われた——：白倉キッサダー（社会人野球選手）

注

1. はじめに
記事：「在留外国人263万人、過去最多に　総人口の2%」
　浦野直樹　https://www.asahi.com/articles/ASL9M5SB1L9MUTIL056.html

文部科学省ホームページ：
・「「日本語指導が必要な児童生徒の受入状況等に関する調査（平成28年度）」の結果について」http://www.mext.go.jp/b_menu/houdou/29/06/1386753.htm
・「外国人の子どもの就学状況等に関する調査の結果について」http://www.mext.go.jp/a_menu/shotou/clarinet/genjyou/1295897.htm

2. 問題意識
・「平成30年度　都道府県・市区町村等日本語教育担当者研修『外国人児童生徒等教育の現状と課題』」文部科学省初等中等教育局国際教育課
・「外国人の子どもの就学状況等に関する調査の結果について」http://www.mext.go.jp/

a_menu/shotou/clarinet/genjyou/1295897.htm

3. 実例

・『日本語を学ぶ／複言語で育つ──子どものことばを考えるワークブック──』川上郁雄・
　尾関史・太田裕子
　　P.9　【エピソード1】フィリピンから来たマリアのケース①
　　P.12　【エピソード1】フィリピンから来たマリアのケース②
・「私も『移動する子ども』だった」川上郁雄
　　P.11　移動する子ども①──「外人」と呼ばれて、外人訛りのない日本語で返そうと思っ
　　た。──：セインカミュ（マルチ・タレント）

4. 実例からの意見

・『「移動する子どもたち」と日本語教育』川上郁雄　P.24　l.1-8.

文部科学省ホームページ：
・「「日本語指導が必要な児童生徒の受入状況等に関する調査（平成28年度）」の結果につ
　いて」http://www.mext.go.jp/b_menu/houdou/29/06/1386753.htm
・「外国人の子どもの就学状況等に関する調査の結果について」http://www.mext.go.jp/
　a_menu/shotou/clarinet/genjyou/1295897.htm

5. 結論

・文部科学省初等中等教育局国際教育課：
　「外国人児童生徒等教育の現状と課題──帰国・外国人児童生徒に対する日本語指導の現
　状①──」http://www.bunka.go.jp/seisaku/kokugo_nihongo/kyoiku/todofuken_
　kenshu/h30_hokoku/pdf/r1408310_04.pdf
・『日本語を学ぶ／複言語で育つ──子どものことばを考えるワークブック──』川上郁雄
　　P.15　キーワード：生活言語能力と学習言語能力

課題レポート⑪

「混ぜ語」について

C.S.　｜　政治経済学部4年

1. はじめに・研究主題

　人の移動は、グローバル化に伴い加速し、国内だけでなく国家間移動も昨
今は増えてきている。「人の移動」と一括りで言ってもさまざまな移動があ
る。新たな地で生活の向上を図ろうとする者や自国以外の国に興味があり住
んでみようと思う者、仕事上移動を余儀なくされ単身赴任をする者や単なる

海外旅行で訪れる者など、人の移動には多様な要因が関係している。また、「人」と言っても、単身赴任であれば会社員である大人が1人海外に出向くだけだが、単身ではなく家族と共に赴任する場合もある。その場合、子どもがいる家庭であれば、子どもも一緒についていく場合がある。このような人の移動の増加から、学びの形も変化してきている。公立、私立、現地校、○○人学校、インターナショナルスクール、ホームスクールなど、子どもたちの成長をサポートする学習環境が多様化している。人の移動の増加や学習環境の多様化を踏まえて、今回のレポートでは、複雑な社会の中で暮らす子どもたちと言語について書いていきたい。言語の中でも、特に「混ぜ語」について、深く考察していきたいと思う。

2. 問題意識

　今回私がこのテーマを選んだのは、授業で混ぜ語について学んだのをきっかけに、自分の体験や周りの反応、社会の声などを思い出し、これについて書くしかないと思ったからだ。混ぜ語を使うのはどういう子たちなのか、混ぜ語を使用するメリット・デメリットは何かなどを中心に、具体例を用いてレポートを展開していく。

3. 事例研究

　私がまだ片言しか話せない頃、母親はバイリンガルにさせようと、日常的に英語のテレビを観たり、本を読み聞かせていたりした。その結果、私の口から出てくる単語は egg や dog などの英単語が主で、母親のことを呼ぶときは「まま」と呼ぶなど、たまに日本語の単語を口にしていたそうだ。このままでは英語と日本語の区別がつかないまま育ってしまうと危機感を感じた母は、そのときから一切英語の勉強をさせず、日本語のみで育てたそうである。

　もう一つの例は、私の高校生時代の話である。小学校から中学校を卒業するまでアメリカに住んでいた私は、日常的に混ぜ語を使うようになっていた。高校に入るまでは、その混ぜ語で話す相手は主に母親で、母親とは文中・文ごとで日本語と英語が混ざった言語で話をしていた。私が通っていた高校は3割が帰国子女で、帰国子女ではない他の子たちも、英語が得意な

子たちが多くいた。そのため、高校に入学してから、私は母親と話す感覚と同じ感覚で、日常的に混ぜ語を使って友達と会話をしていた。もちろん、その相手はきちんと選ぶようにしていた。帰国子女で、英語が得意な子、もしくは英語のほうが日本語よりも得意な子と混ぜ語を使って話していた。しかし、それを見ていた他の子たちから、「帰国は帰国独特の雰囲気があるよね。自分たちの空間がある感じで、なんか入れない、近づけない」と、冗談交じりに言われたことがあった。冗談交じりで、決して悪く思ってそれを言ったわけではないと理解していたものの、なんとなくだが私の心にその言葉がずっと残り、混ぜ語で話すと周りにこう思われるのだ、とそこで初めて客観的な意見を知ることができた。

4. 考察

　一つ目の例である、母親の私に対する英語教育について言うと、もしあのまま母が英語教育を止めずに続けていたら、私の言語はどのようになっていたのだろうか。英語と日本語という 2 つの独立した言語ということを認識できないまま、それらが同じ言語かのように 2 言語操ることができるようになっていたのだろうか。しかし、この場合、周りから見たら 2 言語を習得できているように見えるが、自分の中では 1 言語であるため、どこからが英語でどこまでが日本語なのか、区別をつけることができないであろう。きっと私の母はこの状況を危惧して、英語学習を止めさせたのであろう。混ぜ語をコントロールできないと、ある言葉は英語のみを知り、ある言葉は日本語のみを知っていることで、日常生活で上手く他人とコミュニケーションがとれないという状況になるからだろうか。幸いなことに、私は英語と日本語を使い分けることができるため、2 言語であるという認識は勿論あるが、2 言語ではなく、2 言語が合わさった新たな言語というように認識するということはありえるのだろうか。少なくとも私が赤ちゃんの頃に混ぜ語で話していたときは、2 言語の区別はついていなかったであろう。

　次の例である私の高校時代の経験は、前の例とは違い、言語の区別はついているものの、意図的に混ぜ語を使用している例である。特定の友達とは混ぜ語で会話し、その他の友達とは日本語のみを使用して会話をしていて、自分の中ではあまり考えずに自然とそのような対応になっていたものの、周り

に与える影響や周りの意見というのは異なるものであると知った。もし自分が帰国子女ではなく、日本語のみを知っている者であれば、きっと混ぜ語を使って会話をしている様子というのは異様なものに感じていただろうと思う。異様に感じるだけでなく、自分は英語を話せないため、その場にいてはいけないかもしれないというような感情を持つこともありえると思う。混ぜ語を使用する立場であるからこそ言えることは、決して混ぜ語に言語以上の深みはないということだ。確かに、混ぜ語を話す者同士で仲間意識はあり、混ぜ語を話すことで落ち着くから使用しているのだが、周りと壁を作ろうとしているわけではない。しかし、そうではないにせよ、周りからはそう捉えられてしまうのだ。混ぜ語使用者は、混ぜ語を時と場合で使い分けることが大事であると強く感じる。それに加えて、混ぜ語使用者ではない者にも積極的に話し、壁を作らないように努力することが大事であると感じた。

5. 結論と今後の課題

　今回のレポートでは、自分の体験をもとに、2つの事例を用いて混ぜ語について考察した。1つ目と2つ目の大きな差は、言語の区別を認識しているか、していないかであった。言語の区別ができないまま育ってしまうと、社会と接触する上で支障が出る。人とコミュニケーションをとるのが難しくなる程度であればまだ良いが、フォーマルな場で混ぜ語を使用して怒られたり、社会的に避難されたり、ということもあるかもしれない。逆に、フォーマルな場であるからこそ混ぜ語が称えられ、メリットとして働く場合もあるだろう。その見極めをし、そこで使い分けることができると良いからこそ、言語の区別はつけておくべきだと思う。言語の区別がつけられるようになったら、混ぜ語をいつ、どこで、どういった場合に使用するのか、そこの判断基準を養うことが必要である。

　混ぜ語を大々的に許容する文化はまだないが、この先、混ぜ語が一般的に使用されるようになる日は来るのだろうか。

6. 参考文献

川上郁雄・尾関史・太田裕子（2014）『日本語で学ぶ／複言語で育つ——子どものことばを考えるワークブック』くろしお出版

4.10 　担当教員の振り返り①

　春クォーターの8回の授業と「レビューシート」、課題レポートを振り返ると、次のことがわかります。

①学生たちの多様な背景

　ここで紹介した学生は12名でしたが、前述のように「複言語社会を知る1」の受講生は30名で、文学部や人間科学部の学生たちもいました。はじめに気づいたのは、これらの受講生の約半数が、幼少期より複数言語環境で成長した体験を持つということでした。日本で生まれ日本で成長した、いわゆる「純ジャパ」の学生もいますが、このクラスでは幼少期より複数言語に触れた体験や移動した体験を語る学生のプレゼンスが受講生全体に影響していました。そのため、多様な背景を持つクラスメートの体験にもとづく発言やコメントに刺激を受け、面白かったと感想を述べる学生が多くいましたが、小グループで意見交流や議論をする時間をたくさんとったことも学生たちの考えや認識を深めるのに効果的でした。それらが相乗効果となり、さまざまな議論、問題意識の深まりへ発展したのではないかと思います。

②自分の体験と向き合う

　意見交流や議論が深まることは、クラスメートとたくさんおしゃべりをしたという意味ではありません。学生たちは、他の学生の語りを聞くことにより、自分の体験を振り返り、自分を客観的に捉えようとしていました。いわゆる「純ジャパ」の学生たちも、自分を客観的に捉え、グループ討議やクラスの意見交流から、現代社会の現状についての認識を深めていた様子が見えました。また「レビューシート」の回答を、クラス内公開で共有することによって、その認識が共有化されていきました。

③移動とことばとアイデンティティ

　学生たちの関心やレポートの主題は、アイデンティティ、ネイティブネス（native-ness）、「移動する子ども」、「日本語指導が必要な子ども」「バイリンガル」「混ぜ語」など、多様にありましたが、注目されるのは、すべての

学生が、これらの関心や主題を自分の問題として取り上げ、自分の体験にもとづいた意見表明や論理を構築していた点です。各回の授業のテーマ、事例と課題、ディスカッション・ポイント等から収斂されるテーマが、移動とことばとアイデンティティでした。ここで紹介した課題レポートにも、自分の体験を例に論じる傾向ははっきりと出ていました。それはなぜなのか、またその意味についても、夏クォーターの実践を通じて、さらに考えていきたいと思います。

5 ▶▶ 夏クォーターの授業展開
─複言語で育った大人のライフストーリーをめぐって

　春クォーターに続き、夏クォーターが始まります。本章では、夏クォーターがどのように展開されたのか、引き続き記述していきたいと思います。

5.1　第1回目　オリエンテーション　社会の中で育つことば

　第1回目の授業では、夏クォーターの「複言語社会を知る2」のねらいを、次のスライドを示して、説明します。この科目が副専攻「日本語教育学」の一つであることも、強調します。

夏クォーターのねらい

「移動する子ども」という経験と記憶をめぐる人生

複数言語環境で成長した経験と記憶が、人生においてどのような意味があるのかを考える。
　→日本語教育のあり方を考える。

　学生たちは全員、春クォーターから連続で受講している学生たちですから、シラバスにあるオリエンテーションは省き、すぐにテキストを開き、課題に取り組みます。以後も、シラバスを多少変更して授業を展開しました。したがって、初回からテキストの第8回「社会の中で育つことば」を読み、ことばに影響する社会的要因について考えます。
　その上で、映像資料「ベトナム難民の若者たち」（20年前に放映された放送大学のビデオ教材の一部）を上映します。これはベトナム難民として来日した親を持つ若者に私がインタビューした内容です。

視聴後に、そのインタビューに答える若者たちの日本語にどんな特徴があるか、またその要因は何かについて、グループ討議をするように指示します。ここでは、子どもが成長していく過程に社会的環境がどのように関わるのかに関心を持つことをねらいとします。

　その上で、テキストに戻り、「韓国人の父親と日本人の母のもとに韓国で生まれたヒチョルさん」の事例（エピソード7）、「出稼ぎのため、5年前に家族とともにブラジルからやってきた日系ブラジル人のペテロさん」の事例（エピソード8）を読み、問1、2（p. 43）について、さらに問3、4、5（p. 44）について考えるように指示します。ここで考えたいのは、これらの子どもたちが日本語を学ぶとき、家庭や学校や地域の誰とどんなものを介してやりとりがあるかを考えることです。

　学生には、これらのエピソードに関して、また自分自身の日常生活でどんなことばをどこで、誰と使い分けをしているかを、自分を中心に置く同心円モデルに描くなどして、グループで意見交流するように指示します。

　最後に、次のスライドを映して、宿題を提示します。

問い

p. 45 のキーワードを読み、あなたの言語学習において、「意味のあるやりとり」とはどんなことか述べなさい。

　この宿題のねらいは、言語学習において、言語を学習あるいは習得することと、人と人がコミュニケーションすることの関係をどう理解するかということです。そのためには、学生は自分の言語学習や言語習得を思い出し、客観化することになります。この宿題の足がかりとなるのが、キーワード（p. 45）の「意味のあるやりとり」です。その説明は以下です。

子どもたちの言語習得は単に言語との接触の多少で決まるのではない。子どもにとって意味のある相手との意味のあるやりとりの中でことばの力が育っていく。(以下、省略)

では、学生たちの回答を見てみましょう。

▶ **レビューシート　1回目**

問　あなたの言語学習において、「意味のあるやりとり」とは？

斎藤彩香　｜　国際教養学部３年

　私にとっての意味のあるやり取りとは、私が心から必要だと思ったやり取りのことを指すだろうと思った。私がボストンにいた頃、四歳ぐらいまで言葉をまったく話さなかった。ある日いつも気にかけてくれる、親友の両親にどうしても感謝の念を伝えたくて、頑張って「Thank you」と言ってみた。すると親友とその両親はとても喜んだ。その経験から話そうと思って、親友とその両親の家に行った時は、ちょっとずつ意思を伝えていった。すると、喜んでもらえるので嬉しくなってもっと話そうとする。このいいループにはまって保育園を卒園する頃には、普通の同年代のアメリカ人と同じくらい話せるようになった。

　私は１歳の頃からアメリカにいたので、英語に触れる量はとても多かったと思う。しかし、話せるようになるには、「感謝の念を伝えたりや喜んでもらうために」「親友とその家族と」「意味のあるやり取り」をしなければならなかった。こういう特別なやりとりが意味のあるやり取りだと思う。

塚本実知子　｜　教育学部３年

　私にとって「意味のあるやりとり」とは、「それをしない限り日々の生活を送ることが出来ないやりとり」です。私は今回のレビューシートの題である「意味のあるやりとり」という言葉を聞いて、アイルランド留学中のホストファミリーとのやりとりを思い出しまし

た。語学学校では多少発言が出来なくとも授業は勝手に進んで帰宅時間になりますが、ホストファミリーとの共同生活ではそうはいきません。洗濯物を洗ってほしい時は頼まねばなりませんし、外食をするから自分の晩ご飯は準備しないでくれと伝えねば後のトラブルの元となりかねません。また、ホストファミリーとの円滑な意思疎通のためには正確に物事を伝える必要があったため、伝え方や単語が分からない時はすぐに辞書で調べました（笑）

　このように、「それなしでは生活できないやりとり」を通すことで、より言語を習得しやすくなると考えます。

Qu Jiaxian ｜ 社会科学部・交換留学生

　子どもにとっての「意味のあるやりとり」は、そのやりとりの内容より、子どものそのやりとりに対する思いを指しているのではありませんか。子ども自身がそのやりとりに興味を持ち、意味を感じ、自分がもっと話したい、コミュニケーション取りたいと思っていたら、言語学習のモチベーションになり、言語力を伸ばすのでしょう。一方、ただ無理矢理にその言語環境に押し付けられ、その言語を教えようとしても、子どもがそれは有意義なことだと認識しなければ、頭の中に入って来ないのでしょう。つまり、その言語は親あるいは友だちとのやりとり、または子どもにとって他の大切な場に使われた場合、言語力が伸ばせるのではありませんか。

真由 ｜ 国際教養学部２年

　言語学習において意味のないやり取りはないと考える。日常生活においてのささいなやり取りであったり、文法などに誤りが含まれていたとしても、それは意味がないわけではなく、振り返ることにより意味のあるやり取りへと変換させることができると考える。教師や両親などの教える側が積極的なフィードバックを学習者に提供することによって子どもの自覚を促すことができる。もちろん内容、場面、相手が子どもにとって大きな意味を持つことは明らかである。しかし、言語を学習するうえで必ずすべてのことが子どもにとって

意味のあるやり取りにすることができるかと言われればそうではない。仮に両親が子どもにとっての「意味のある相手」だとしても、幼稚園などの外的要素のすべてに意味があるとはいえない。そのため、意味がないと思えるものも言語学習に組み込むことが重要だと考える。

松原直輝 ｜ 政治経済学部 1 年

「意味のあるやりとり」という言葉の「意味」という言葉が難しいと感じました。確かに「意味のあるやりとり」というのが言語習得にとって大切なことは直感的には理解できますが、具体的に「意味」とは何か？と問われると難しいからです。

一つ思い浮かんだ例としては、英語の教科書の "What is this?" "This is a pen" といった、「意味のない」と言われるやり取りです。そして、興味を持っている内容の方が言語を学ぶには有意義だから「子どもたちが興味をもつ内容にすべき」という批判がよくなされます。ここから考えると「意味ある」とは「動機を共有できる」になるでしょうか。

しかし、仮にそうなら「意味ある」という言葉をあえて用いる必要はないですし、また子どもたちが興味をもてる内容「だけ」をやっていても教育的効果は低いと予想されます。言語には「ある程度」の共通性が必要だからです。それゆえ「意味のある」には動機的な側面（個人的側面）と同時に規範を学ぶ側面（共通的側面）の二つがあること、加えて、どちらに偏り過ぎることも言語習得にとって妨げ（意味のない）になるのかなと考えました。

N.N. ｜ 国際教養学部

私の今までの言語学習において、「意味のないやりとり」はなかったように思います。それは、幼いころに渡米した時に行ったやりとりがすべて私にとって「意味のあるやりとり」だと思っているからです。毎日行っていた友人との会話では同年代とのやりとりや日常会話で使う言葉を覚え、先生との会話では目上の人、大人とのやり

とりや丁寧な言葉を覚えました。また、さまざまな場面について考えてみても、学校では学習言語を習得し、学校外で友人と遊んでいる時には日常会話で使われる略語やスラングを習得しました。友人とのやりとりから学習した略語やスラングなどはほかの学習言語と比べると有用性が低く「意味のない」ものに思えますが、周りの同年代と同じように話せているという自信がついたので、有用性が低くても、これらは私の言語学習においての「意味のあるやりとり」だったと思います。このように考えていくと、私の言語学習において有用性の低い語彙を使ったやりとりも確かに多くあったものの、使える相手や場面も同時に学習していたため、どれも「意味のあるやりとり」だったように思います。

T.Y. ｜ 政治経済学部2年

　私にとって意味のある言語学習は、インプットしたものをきちんとアウトプット出来るようになることです。特に子どもの言語学習において、アウトプット出来るようになるということで初めてその言葉や文法の使い方というものをちゃんと理解した、自分のものに出来た、となると考えています。そのなかで「やりとり」というのは座学等を通じて学んだ語彙や文法を実際に利用し、活用出来る一番の方法だと考えていて、やりとりする相手や場面によって語彙の難易度などを変えたり、インプットしたものを活用したり出来るシチュエーションです。こうしたことから、何気ないやり取りや気を遣うようなやりとりも含めて、すべてこどもにとって意味のあるやりとりだと思います。

A.I. ｜ 政治経済学部1年

　その言語を学ぶうえで行うすべてのやり取りが私にとっての「意味のあるやりとり」です。例えばやりとりの相手が先生などである場合は学術的な言語の習得につながり、相手が同年代の友人であったりする場合は日常的な言語の習得につながります。また場面や内容ですが、それも同じです。授業などではアカデミックな内容でハ

イレベルな言語習得が可能となり、近所の人などとの会話ではコミュニケーションスキルが磨かれ、そこで生活していく上で必須となるレベルの言語習得が可能となるのです。

キム ハヨン ｜ 教育学部1年
　私にとって「意味のあるやりとり」は環境によって決まることだと思う。私が韓国に住んでいたとき、私は完全に韓国語だけを使った。そして日本に来て韓国学校を通いながら韓国語をベースに日本語を使い始めた。同じ学校でも最初は韓国語を主に使う友だちしかいなくて韓国語を主に使ったが、日本の友だちができて日本語を使うことになった。今日本語を使う比率がより多くなった。そこで私の言語能力は私がどんな環境にいるかによって定まると思う。

C.S. ｜ 政治経済学部4年
　自分の経験上、「意味のあるやりとり」とは、何かしら得るものがあるやりとりを指すと思います。言語学習段階にもよりますが、初級であれば、友だちや親と会話することで、日常的に使用する表現を学ぶことができます。逆に、上級であれば、友だちや親との会話では新しく得るものはなく、授業やビジネスシーンなどで高レベルなやりとりをすることが「意味のあるやりとり」なのではないかと考えます。

▶ **授業を終えて①**

・問いの中の「意味のある」という表現が学生たちを「悩ませた」かもしれません。しかし、その中でも、言語学習に「意味のない」やりとりはない、すべてが「意味のある」やりとりだという意見もありました。興味深いのは、それらの主張にも、子どもの頃のことや海外留学の体験など、「教室の学び」だけではなく、「教室外の学び」も含めて考察されていた点です。

・さらに、自分が「心から必要だと思ったやりとり」など、言語学習者である自分（子ども）の感情や動機も視野に考えられていました。だからこそ

か、動機を高めることと規範を学ぶことの両方を視野に、言語学習を考え
るべきという意見もありました。
・これらをもとに、幼少期より複数言語環境で成長する子どもにとっての
「ことばとは何か」「ことばの学習とは何か」、そして、そのことを踏まえ
て、言語教育実践に置いて大切なことは何かという、より大きな課題へ進
みたいと考えました。

5.2　第 2 回目　子どもたちの心とことばの学び

　第 2 回目の授業は、宿題のレビューから始めます。前回の「レビューシー
ト」について、学生たちの意見を紹介します。次のスライドは、実際のクラ
スで示したものです。

「意味のあるやりとり」とは

- ・自分にとって親しい人との会話
- ・実践的な会話
- ・すべてのやりとりが「意味のあるやりとり」
- ・双方のコミュニケーションが行えているとき
- ・何か得るものがあること
- ・心から必要だと思ったやりとり
- ・意味のないと思えるものも言語学習
- ・コミュニティ・学校という場
- ・意味のあるやりとり、難しい
- ・インプットしたことがアウトプットできる相手や場
- ・思い、興味、意味を感じ、もっと話したいと思う気持ち

　ここでも、これらの回答をした学生に、思いや考えについて補足説明をし
てもらいます。このやりとりも、学生が授業外で行った自分の学習（宿題を
考え、文章を考え、書き込み、発信するという行為）を客観化すると同時
に、クラスで自分の意見が「承認されている」ことを実感することになりま
す。したがって、この宿題のレビューは、教室活動として重要です。
　さて、この回では、テキストの第 9 章を取り上げます。この章のリード
文（p. 46）には次の説明があります。

子どもたちの意識や態度といった心理的な要因は、子どもたちがこと
ばを習得していく際、どのような影響を及ぼすのでしょうか。

　最初に、「日本人の父親とオーストラリア人の母親のもとに日本で生まれ
育ったエレナさん」の事例（エピソード9）と、「日本人の母親とタイ人の
父親のもとにタイで生まれたオームさん」の事例（エピソード10）を読み、
問1（p. 47）「エレナさん、オームさんは、自分の持っている複数のことば
をそれぞれどのように捉えているでしょう。また、それぞれのことばに対す
る気持ちはどのようなことによって作られているでしょうか」について、グ
ループ討議をするように指示します。
　この章のテーマは、子どもたちの心理的な要因をどう考えるかです。その
ため、以下のような問2、3、4（pp. 47-48）を、グループ討議、そしてク
ラス全体で意見交流します。

　　「あなたは自分の話す複数のことばに対してどのような思いを抱いて
　いますか。また、その思いはどのようなことによって作られていると思
　いますか。」
　　「ことばに対する思いとことばを学ぶこととは、どのように関係して
　いるでしょうか。」
　　「複数のことばに対する子どもの気持ちや意識は、ことばの教育の中
　でどのように扱っていけばよいと思いますか。」

　これらの問いを考える上では、キーワード（p. 49）にある「言語能力意
識」「母語・母文化の保持・育成」「子どもたちと「文化」の関係」を読むこ
とも指示します。
　このキーワードの中に、エレナさんやオームさんのような子どもの捉え方
についても、次のような説明があります。

　　これらの子どもたちを「文化間を移動する子ども」や「○○文化につ
　ながる子ども」、ましてや親の持つ「文化」や「国籍」を冠して呼ぶこ
　とはできない。

と説明しています。

　その上で、最後に、次のスライドを映して、宿題を提示します。

> **問い**
>
> p. 49 のキーワードを読み、子どもと「文化」の関係について、あなたの意見を述べなさい。

　この宿題のねらいは、文化本質主義的な捉え方を超えて、どのように子どもたちを理解したら良いのかを考えることにあります。

　この問いを、学生たちはどう考えたのでしょうか。では、学生たちの回答を見てみましょう。

▶ レビューシート　2回目

問　子どもと「文化」の関係について、あなたの意見を述べなさい。

斎藤彩香　｜　国際教養学部３年

　文化とはある社会の成員が共有している行動様式だと言う。もし一つの文化だけに触れて成長した人は、特に言語や行動様式の不一致やアイデンティティ・クライシスは少ないだろう。でも、二つ以上の文化間で育った子どもはその文化のはざまで葛藤することが多い。たとえば、私のように見た目は日本人でも心の中の文化が違う場合もあれば、反対に見た目は周りとは違っても心は日本人の人もいる。だからこそ、教科書の中では単純に両親や子どもの国籍だけでその人の文化を決めつけることは出来ないし、とても危険だ。しかし多様な文化的背景を持つ人が増えているが、さまざまなケースがあるため、「多文化の子ども」というのも危険だと思う。

　子ども一人ひとりにはそれぞれのストーリーがある。日本語教育

では、その一つ一つのストーリーを大切にしながら日本語を少しずつ教えればいいのだと思う。

植地丈華 ｜ 文化構想学部 4 年

　文化には具体的な定義や規模の制限がないと私は認識しています。私は小さい頃、自分には自分の文化があると思っていました。文化はもしかしたら複数人の中で共有されるものなのかもしれませんが、私の中では日々の生活のルーティーンや自分の癖なども私の文化だと思っていました。初めは家族と同じように生活習慣を倣って構築してきた「文化」ですが、幼稚園から小学校、習い事、放課後など様々なコミュニティに溶け込み、違う人の違う「文化」を体験、共有することで私の中の「文化」や価値観なども柔軟に受け入れ、複雑化されていったと思います。時に他人の行動に反発する事で自分の文化を主張したり、まったく違う考えを目の当たりにして自分の文化の入り口を広めたりできるような、文化とは水みたいに柔軟で油のように反発するものであると考えます。また、そういった個々人の文化の形成は子どもの成長とともに複雑化、かつ独創的になり、他人の意見を受け止める姿勢とともに自分の人格が出来上がっていくものだと考えます。

Qu Jiaxian ｜ 社会科学部・交換留学生

　私はアメリカに行く前にあまり自分は中国人という意識はありませんでした。それは、自分はずっと中国にいて、周りも同じ文化を共有していた人ばっかりでした。しかし、留学でアメリカに行った後に、文化が違うことに気づき、自分は中国人という意識がますます強くなってきました。文化というのは、自分は他人と違うときに一番強く感じるものであります。だから常に多様な文化の中で移動する子どもにとって、それは話さなければならないテーマになるのでしょう。移動する子どもたちはいろんな文化を経験し、いろんな習慣や考え方を身につけています。そのため、どの文化にも関わりがあるのにどの文化にも属さないという気持ちが生み出されること

もあるのでしょう。その複雑で多様な文化背景をどうやってコンプレックスから強みに転換するのかは、彼らが向き合っている一大課題だと思います。

真由 | 国際教養学部2年
　文化は子どもの成長に大きく関わっている。例えば日本において麺をすすることは日常の風景だが、海外では下品な行為とされている。このようなささいな違いが何かしらの諍いに発展することもある。つまり、文化によって形成される「常識」と呼ばれるものが子どもの人生の根底に深く根付いているため、文化と子どもを切り離すことができないのだ。しかし、それが一つの側面だけで形成されているわけではない。住んでいた土地や両親などからの影響を多く含み、それが複雑に絡み合い子どもの内に積み重なっていくものである。単純に特定の文化と特定の文化の架け橋と呼ぶこともできない。本人からしたら、どこにも属すことのできない孤独を感じるかもしれない。文化も言語も常に変わり続けている世の中で、何か確定的な物を自分の内に持つことが難しくなっている。このような時代において子どもたち自身が触れてきた文化について深く考え、答えは見つからなくとも話し合うことはもちろん大事だが、何よりも大切なのは私たち自身の認識を振り返ることだ。自分たちの文化には属さないように見えるものを排除してはいないだろうか、と自分たちに再度問いかけることが重要だ。私たち自身が子どもの多様性を受け入れる準備をしなくてはならない。子どもの教育において、私たち自身が文化や常識が流動的であると捉えることこそが文化のすれ違いやそれに伴う諍いを失くすためには必要だと考える。

松原直輝 | 政治経済学部1年
　子どもは成長の過程で文化から大きな影響を受けます。言語に限らず、食事や生活様式、常識にまで影響するからです。また、文化間の移動が少なかった時代では、文化は土着のものであり、多くの人にとって文化から距離をとるということは、ほぼ不可能でした。

一方で文化を継承する人が消えれば、文化は消えてしまいます。つまり文化の立場から見れば「人＝文化の運び屋」と考えられます。

　しかしグローバル化の進む現在では、多くの人の移動に伴い、文化は混ざり、変容を続けています。もちろん「文化に優劣がない」という考えが世界でも常識になることで、この変容が可能になっていることは間違いないです。しかし「複数文化に接した子どもたち」もこの変容に深く関わっています。また、子どもによっては、「文化」を好んで選択することもできるようになってきています。そういった意味では子どもは、文化の継承者・運び屋から、影響は受けるが（程度もありますが）選択しブレンドできるもの、と関係の仕方は大きく変わってきているのかとも思います。

 N.N. ｜ 国際教養学部

　子どもにとっての文化というのは、生活環境はもちろん、両親の文化にも大きく影響されるものだと思います。私は幼少期からアメリカに滞在していたのですが、私を取り巻く文化というものはアメリカ（私の生活環境）の文化と両親の文化（日本の文化）でした。しかし、私にとって、最も馴染みのある文化というのはアメリカの文化と日本の文化の二つではなく、どちらかというと、私が自分で二つの文化を理解し、その二つを融合させたようなものだったように感じます。このように二つの文化を融合したものを自分の最も馴染める文化として捉えたことで、自分は日本人でもあり、アメリカ人のようでもある、といったように一つの国に囚われない、アイデンティティの構成に繋がったのではないかと思います。そのため、さまざまな文化に触れ、さまざまな考え方や物事の捉え方を知り、その上で「自分の文化」を作りあげることが子どもにとっては大切なのではないかと考えました。そうすることで国や各国の文化や価値観に囚われずにそれぞれのアイデンティティを形成していけるのではないかと考えました。

T.Y. ｜ 政治経済学部 2 年

　文化は子どものアイデンティティを形成するとても重要な要素の 1 つだと思います。その中で、それぞれの子どもが持つ文化の形というものに全く同じ文化というものは存在しないと考えています。文化というのはもちろんテキスト内の子どものように両親の文化が異なるという "国家の文化" も含みますが、それ以外にも "地域の文化" や "家庭内の文化"、"コミュニティの文化" など、その子どもが関わっている全ての物事において存在していると考えていて、そのすべての文化を融合させた結果がその子どものアイデンティティに深く関わっていると思います。それぞれの子どもが持っている家庭内文化やコミュニティの文化、国家の文化等はまったく異なっており、均一的ではないと思います。

A.I. ｜ 政治経済学部 1 年

　今、日本の文化の一つである「漢字」が元は中国のものであったように、私は最初から自分に固有の文化など少ないと考えています。個人レベルで考えると、どこからどこまでが文化でどこからがその人の性格なのか、その行動パターンは果たしてどこの文化に由来しているのか、皆目見当もつきません。私自身は日本とアメリカで過ごしていましたが、自分の考え方がどちらの文化からのものであるのか、または混合しているのか、わかりません。父はアフリカ、カナダ、日本、アメリカで過ごしていましたが父もどの文化に特に強く影響されているのかは分からないそうです。なので子どもたちと「文化」の関係もかなり曖昧で分別が付きにくいものだと私は思います。

キム ハヨン ｜ 教育学部 1 年

　子どもに対して「文化」とはやはり子どもが一番接している文化と近いとおもう。家族体系や周囲の環境がどのように形成されているかによってその子どもの心の中で自分が属していると感じる文化は異なると考える。そして今の子どもは世界どこの文化でもメディ

アを通して接することができるので自分が一番好む、心地よい文化を「選択」して自分なりの「文化」というものを形成していると考える。

▶ **授業を終えて②**

- 前述のように、この問いは、「文化本質主義的な捉え方を超えて、どのように子どもたちを理解したら良いのか」を考えることにあります。これは一見、「ことばの教育」と関連が少ないように見えるかもしれませんが、ことばの本質、あるいはことばの教育を考える上で、外せない論点です。
- 学生たちのコメントは、私にとっては、どれも魅力的でした。何々の「文化」とみなすことや「多文化の子ども」というのも危険だという指摘から、親や環境から得る「文化」と言っても成長とともに複雑化し、流動化し、自分の人格を形成していくという意見、私たちの認識を変えていくことが大切であるという意見、親や環境の影響から「自分の文化」をつくること、あるいは文化を自分で選択していくことという意見は、議論のために参考になる意見でしょう。
- また、複雑で、多様な文化背景を持つことをどのように自分の強みとしていくかというのは子どもにとって大切な課題であるという指摘や、そもそも自分の中では文化が混ざっていて切り分けられないという指摘も、これからの教育実践を考えていく上で、貴重な意見でしょう。

5.3 第3回目 ことばの学びを支える「教材」とことばを支える言語活動

第3回目の授業も、宿題のレビューから始めます。前回の「レビューシート」について、学生たちの意見を紹介します。次のスライドは、実際のクラスで示したものです。

> **子どもと「文化」の関係について**
> ・教育を受ける場所の文化を理解できないと、支障が出る
> ・「文化の継承者、運び屋」から「選択し、ブレンドできるもの」
> ・父はアフリカ、カナダ、日本、アメリカ（家族の歴史が影響）
> ・子ども自身が文化をどう捉え、どういう時に苦戦を強いられるか
> ・子ども自身が成長していくにつれて、確立していく
> ・認識を振り返る、多様性を受け入れる準備、流動性を捉える
> ・「自分の文化」を作り上げることが子どもにとって大切
> ・オーストラリアと日本が混ざり合ったもの
> ・一人ひとり違う文化を持ち、その中で生活することによって
> ・文化という言葉があるからこそ、趣がある
> ・移動する子どもにとって、向き合っている一大課題

　ここにも、学生たちの多様な意見が反映しています。これらの回答を書いた学生に発言を促し、クラスメートの意見を聞きながら、学生たちも私も、共に考えるようにします。ただ、ここで私の意見を言うことは控えます。なぜなら、いつも教師が「解答らしいこと」を言えば、学生はその答えを期待し、考えなくなるからです。

　さて、第3回目の授業は、続く第4回の授業と連続で、子どもの日本語教育の重要なテーマである「教材」について考えます。この二つの回のテキスト（第10章、第11章）には、次のリード文（p. 50）があります。

　　　子どもたちのことばの学びを支える教材とはどのようなものでしょうか。また、どのような言語活動がデザインできるのかを考えてみましょう。

　第3回では、問1、問2（p. 50）で「あなたは、フィリピンから来た、小学3年生の男の子（簡単な日常会話程度の日本語が話せる）に漢字を教えることになりました。彼は漢字を学ぶ際に、どんなところに難しさを感じると思いますか」「問1の難しさを踏まえたうえで、漢字学習の際にどんな言語活動ができるか考えてみましょう」と問いかけ、一人ひとりが自分の答えを考えたところで、グループ討議を始めます。

　さらに、日本人の子ども向けの漢字教材と日本語を学ぶ子ども向けの漢字

教材のコピーをそれぞれ 1 枚ずつ用意し、配布したのち、両者の違いについて考えるように指示します（問 3、p. 51）。

これまでもそうですが、グループ討議を指示した後は、私は机間巡視をして、グループの話し合いの内容を聞き、時には、「なるほど」とか「いい指摘だね」などと声をかけます。この声がけが、大学教育でも教員と学生の距離を縮め、支持的風土を醸成し、学生が能動的に、かつ主体的に考えることにつながります。

この回のキーワードは、「個別化・文脈化・統合化」「発達の最近接領域」「スキャフォールディング（Scaffolding）」です。そのことにも触れながら、次の教室活動として、第 11 章の問 1（p. 54）で、国語の教科書の文章（「ごん狐」）を読み、「どんな部分が難しく感じると思いますか」という課題を考えます。

さらに、子どもの日本語教材の一部のコピー、また「リライト教材」のサンプルのコピーを配布し、比較検討し、それらの教材でどんな言語活動が想定されているかを検討するように指示します。

その課題の後に、第 12 章「ことばの学びを支える言語活動」のキーワード「言語活動」を解説します。そこでは「言語活動」が次のように説明されています。

> 聞く、話す、読む、書くなど言語を使った行為全般を言語行為、または言語活動と呼ぶ。言語教育において言語活動というのは、目標言語を使い他者とやりとりをすることによって目標言語を習得するという考え方がベースにある。（中略）
> その意味で、言語教育において、学習者が主体的に参加できる言語活動をデザインすることは、教育実践者にとって重要かつ不可欠な仕事となる。（p. 60）

最後に、次のスライドを映し、宿題を提示します。「知的で楽しい言語活動」というコンセプトは、私が考えたもので、楽しいだけでは言語学習の動機や「考える力」の育成につながらないと思いますが、学生自身は自分の体験からどんな意見があるのかを知りたいと思い、以下のような宿題を出しま

した。

> p. 60 のキーワードを読んで、あなたが言語を習得
> する上で、「知的で楽しい言語活動」は何でしたか。

　この問いを、学生たちはどう考えたのでしょうか。では、学生たちの回答を見てみましょう。

▶ レビューシート　3回目

問　言語を習得する上で、「知的で楽しい言語活動」は何でしたか。

斎藤彩香　｜　国際教養学部3年
　私にとって「知的で楽しい言語活動」は4歳くらいの時にした絵日記です。なかなか言葉を話さなかったので、専門家から絵日記を勧められました。ただこの絵日記には順番があります。まず初めにその日の出来事を絵に描いて、その後大人が絵の意味を聞きます。そして大人と一緒に簡単な言葉で文章化して、最後に文章を一緒に音読します。この絵日記をすると、聞く、話す、読むのすべてのトレーニングができる上に、親子ですれば親子間のコミュニケーションができます。私は絵を描くのは好きだったので、とても楽しかったです。

植地丈華　｜　文化構想学部4年
　主体的な参加が促される知的で楽しい言語活動は、小学生の時に通っていた英語教室で行っていた単語やアルファベットを覚えるためのゲームやお歌である。自分たちで習った英単語を表現するジェスチャーを使って、歌を歌いながら踊った記憶は今でも鮮明に残っ

ている。

　また留学中の外国人とのコミュニケーションも楽しかった。会話をしながら相手がよく使う表現を覚えて、次の機会にその表現を試してみる、という単純な試みだったが、紙面上で覚えるよりもより実践的で視覚に加えて聴覚を使って覚えたので、とても有効的で楽しかった。

塚本実知子　|　教育学部3年

　私にとって「知的で楽しい言語活動」は外国の友だちとするチャットです。チャットは直接的な会話と違って伝える内容を考える時間があるため、より適切な表現を調べてから送ることも可能ですし、相手がその言語のネイティブであれば、そこからより自然なフレーズなども学ぶことが出来ます。ですので、このようなチャットは楽しく続けられて、かつその言語を使った表現力も鍛えることが出来るので、私が重宝している言語活動です。

Qu Jiaxian　|　社会科学部・交換留学生

　私にとっての知的で楽しい言語活動はたくさんあります。日本語は教科書を使わずにほぼ独学で習得したため、すべてその言語活動のおかげと言っても過言ではありません。

　漢字の読みと書きは主に歌詞から学びました。確かに文法の参考にはなりませんが、歌詞を紙に写すことで漢字の書き方を覚え、その後にその歌を歌うことで漢字の読み方を覚えました。その他、ドラマやバラエティを観ることで聴解力を鍛え、日本のSNSアプリで日本人の友だちと好きな芸能人の話をして会話を練習していました。

　こんなふうな言語活動を楽しみながら日本語を習得できたのはとても恵まれていることだと思っていますが、楽しい活動だけではやはり限界があります。長年積み重ねた経験に基づいて直感で日本語を使用しているが、まともに文法や語彙を説明してくれる人がいなかったため、今でもよくシンプルなミスを犯します。

真由 ｜ 国際教養学部2年

　私の知的で楽しい言語活動は読書だ。小学1年生の時に急に父の海外赴任が決まり、英語に関しては全く勉強せずに海外へ渡った。幸い日本人が多い地区だったので現地校に通うことは苦ではなかった。言語活動は話す、喋る、聞く、読む全般を含むが、いきなり聞き取ったり喋ったりすることは難しいので、イラスト付きの単語集や英語教育のための子ども向け番組などを活用しながら、周りにいる言語を習得しようとしている子どもたちと切磋琢磨して習得していった。最低限の基礎を身に付けた後、幼いころから読書が好きだったので、最初は家庭教師の先生に絵本などを紹介していただき、自身のレベルに合わせて読み進めていった。その後、自分に興味があるフィクションの本をひたすら読み、親を音読に無理やり付き合わせていた。目標言語を使い他者とやりとりをすることが確かに言語活動においては大切だが、基礎を身に付けてからではないと難しい。主体的な参加を促すためには、やはり退屈と思える言語活動を乗り越え、目標言語に近づくことが重要だと考える。

Y.T. ｜ 教育学部3年

　私が経験した知的で楽しい言語活動は、小学校から高校まで通った英会話教室での会話です。特に、クラスの始めに1週間であったことについて英語で話すのですが、最初は「遊んだ」「○○に行った」程度の英語しか言えなかったのが、学年や自分の話せる英語が増えるにつれ、具体的なことや自分が言いたいと思ったことまで英語で言えるようになっていき、自分が英語を話せているという実感が湧きました。1週間の出来事という、日本語だと言いたいこと、言えることがたくさんあり、それが英語だから言いづらいというもどかしさから、それを乗り越えられた時の達成感が「楽しい」と思えたのだと思います。

松原直輝 ｜ 政治経済学部1年

　教科書の通り、言語活動を言語を使った行為と指すのであれば、

自分の生活上、おそらく運動中と睡眠中以外はすべて言語が介在しています。他者や媒体との情報の交換はもちろん、「自分のみ」という時でも思考に言語が伴うからです。睡眠中では夢、運動中の感情も言語と結びつくことを考えれば「知的で楽しい言語活動」とは、ほぼ「知的で楽しい活動」そのものになってしまいます。それなら人生での「知的で楽しい」すべてが、今回の質問への答えです。

　狭義の言語活動として、言語習得の場面に限るとします。これも習得を意識しているか否かで異なります。習得の意識が強すぎる、つまり習得が目的化した活動で、楽しいことは少ないです。逆に、意識せずにいても、客観的には「学んでいた」と呼べる状況には楽しいものが多いと思います。つまり、学ぶ対象が他にあり、その中途で言語を学んだときが楽しい（狭義の）言語活動です。

　また、言語習得というと、（上でいう）意識的な言語習得を指してしまうため、教科書が指す言語活動は、より広義なものとして定義したかったのかと思います。しかし、第一段落で述べたように余りにも定義が広すぎて、議論をぼやけさせてしまう用語のようにも感じます。

 N.N. ｜ 国際教養学部

　私は中学の頃から5年間スペイン語を学んでいました。中学の時には第二外国語の授業は卒業のために取らなければならない科目、として認識していたのですが、高校に上がってから新しいスペイン語の先生に出会い、そこで初めてスペイン語をちゃんと習得してみたい言語として認識しました。高校の時のスペイン語の先生とのスペイン語での会話や授業が私にとっての「知的で楽しい言語活動」だったため、私のスペイン語に対する意識が変わったのではないかと思います。私の拙いスペイン語でのやり取りをしっかりと理解しようとしてくれる先生の姿勢や教科書だけでなく流行りの音楽や映画などを使った授業も私には「知的で楽しい言語活動」でした。更に、すべてスペイン語で行われていたのにも関わらず、ストレスを感じずに自由に発言できる環境下での授業も「知的で楽しい言語活

動」だったように思います。常に目標言語に対して興味を持ち続けられ、かつ学習者本人がストレスを感じずに目標言語で発言できる環境の中で行われる言語活動こそが「知的で楽しい言語活動」なのだと思います。

T.Y. ｜ 政治経済学部 2 年

　わたしが考える「知的で楽しい言語活動」はダジャレやなぞなぞなどの言葉あそびです。子どもの頃に友だちとダジャレを言っている時やなぞなぞで遊んでいるその瞬間はくだらない、ただ楽しいだけの遊びだと考えていましたが、いま振り返ってみるとダジャレもなぞなぞも文脈や語彙にとても依存していて、なぞなぞの答えを考えている時などはとても頭を使いました。このことから、これらの遊びは知的であると同時に言語学習も出来る、まさに「知的で楽しい言語活動」だと思います。

A.I. ｜ 政治経済学部 1 年

　私は日本語を勉強することが好きです。それに比例して英語の勉強をすることが嫌いでした。ですが環境的に、生きていく上で英語の勉強が必要不可欠だったのでしていました。しかし特にそれに対して不満を抱いたことはありません。ですが英語の勉強自体を楽しんでした覚えがあまりないのです。

　ただ、これらは「知的」というよりも「楽しい」という側面のほうが大きい気がしますが、唯一英語の言語習得の活動のなかで自分が好んだのは洋画や洋楽を観たり聴いたりすることでした。

キム ハヨン ｜ 教育学部 1 年

　私が日本語を習得する上で「知的で楽しい言語活動」はドラマだった。言語を勉強するときに言語習得に難しさを感じる人が多いと思う。私もそうであった。教科書や日本語塾では試験向けの勉強をしたので、日常生活でどう話せばいいかわからなかった。ドラマでは話し言葉、今流行っている言葉、敬語や状況に合う言葉を楽しく学

ぶことができるのですごく役に立った記憶がある。

C.S. ｜ 政治経済学部4年

　私が目標言語を習得する上で「知的で楽しい言語活動」であると思うのは、旅先で実際に現地の人とコミュニケーションを取ることです。私は第2外国語としてスペイン語を学んでいたのですが、メキシコに旅行に行った際に、お店やレストランで簡単な会話をすることで鍛えていました。自分の言葉が相手に通じたときは嬉しいですし、もっと勉強しようという気持ちになります。

▶ **授業を終えて③**

・言語教育における「知的で楽しい言語活動」というコンセプトについて、学生のコメントは実にさまざまでした。「知的」と「楽しい」を対立させるのではなく、二つを両立させる活動となる言語活動を、学生たちは考えなければなりません。

・学生たちが挙げた例は大変ユニークでした。歌やゲーム、チャット、テレビ番組、SNS、音楽、映画、ことば遊び、読書などを挙げる学生が多くいました。これらは、学生たちが多様な場面や活動を通じて言語を学んでいることを示していると思います。

・一方で、学習言語が現地で通じたときの気持ちや言いたいことを苦労して言ったときの達成感を、「知的で楽しい」活動と述べた学生もいました。だからこそ、人生の中の行動はすべて「知的で楽しい活動」なのだという学生もいました。

・さらに、「新しい（語学の）先生との出会い」、「ストレスを感じずに目標言語で発言できる環境」、あるいは「幼少期の絵日記を描くことで親子間のコミュニケーションが深まった」と述べる学生がいましたが、「知的で楽しい言語活動」と個別の活動を考えるだけではなく、人間関係や環境も含めて考える視点が必要ではないかという指摘は、改めて授業自体をホリスティックに考えなければならないと気づかせてくれます。

5.4 第4回目 ライフストーリーを解釈する1

　第4回目の授業の最初に、前回の「レビューシート」について、学生たちの意見を紹介します。次のスライドは、実際のクラスで示したものです。

言語を習得する上で「知的で楽しい言語活動」は何か

・旅先で実際に現地の人とコミュニケーション
・英語の曲を聴いて、真似ること
・洋画や洋楽を聴くこと、ドラマ
・スペイン語での会話劇
・外国の人とのチャット、スペイン語の会話
・本を読むこと
・絵日記、交換日記、日本語補習校
・人生での「知的で楽しい」こと、すべて

　このスライドの中の意見を書いた学生に、補足説明をしてもらいます。その上で、これらの意見の中に、「言語を学ぶための言語活動」という視点と、「言語活動を行うことで言語を使う、学ぶ」という視点の両方があることを指摘し、各自がどの視点で言語活動を見ているかを考えてみようと問いかけをしました。

　それから、今回の授業に入ります。この回から「ライフストーリーを解釈する」として、3人のライフストーリーを読んで考える活動に入ることを説明します。最初の第13章には、次のリード文（p. 62）があります。

　　複言語で育った子どもが大人になると、どのようになるのでしょうか。難民として来日した両親のもと神戸で生まれたNAMさん。彼にインタビューしてみました。

　NAMさんは自ら作詞作曲し、ラッパーとして音楽活動をしている若者です。ただ、その活動をするまでの道のりは大変でした。テキストには、

NAM さんへのインタビューが詳細に再現されています（pp. 62-67）。

　インタビュー時期に 20 代前半だった NAM さんの語りは、次のようなライフストーリーでした。

　　NAM さんは幼少期より家庭ではベトナム語を使用していましたが、保育所や小学校へ入学した頃から日本語が中心になります。親が学校へ来てベトナム語を話す友だちに聞かれるのが嫌で、親に「ベトナム語、しゃべらんといて」と言うほどでした。学校では日本語が難しく勉強も嫌になります。親が開いたベトナム語教室に通っても面白くなかった。中学に入った頃、カタカナの名前を日本名の通名にかえます。中学を卒業して定時制高校へ入学するも、1 か月で退学。そこで、ラップに出会います。そのラップを歌うようになって作った「オレの歌」の歌詞に、親の難民脱出の様子や自分がベトナム人を隠して生きてきたことを盛り込みました。その後、19 歳ごろにベトナム人なのにベトナム語ができないのは恥ずかしいと考え、アルバイトで貯めたお金でベトナムへ語学留学をします。ベトナムではベトナム語でラップを歌い、日本では日本語でラップを歌うラッパーになったと語ります。

　すでに予習をしてくるように指示していましたので、ライフストーリーを確認する短い時間の後、グループ討議で、NAM さんの成長過程でどのような問題にぶつかったのか、また周囲の人々のまなざしをどう受け止めたのか、ラップとの出会いはどのような影響を与えたのかなどの問い（p. 68）について検討するように指示します。

　グループ討議で出た意見を拾い上げながら、クラス全体でも意見交流をします。その上で、NAM さんの歌「オレの歌」の CD をみんなで聞きます。テキストにある歌詞（p. 65）が NAM さんの声によって曲とともに教室内に響き渡りました。

　最後に、次のスライドを映し、宿題としました。

p. 68 の問 4 の答えを書く。

NAM さんのライフストーリーから、複数言語環境で
成長する子どもに関わる大人が学べる点は何でしょ
うか。

　NAM さんは、ご覧の通り、大学にいる学生とは異なる背景の若者です。
この問いを、学生たちはどう考えたのでしょうか。では、学生たちの回答を
見てみましょう。

▶ レビューシート　4回目

問　p. 68 の問 4

　「NAM さんのライフストーリーから、複数言語環境で成長する子ども
　に関わる大人が学べる点は何でしょうか」の答えを書く。

斎藤彩香 ｜ 国際教養学部 3 年

　複数言語環境で育っていない人にも言えることかもしれないが、
やはり複数言語環境で育つ子どもには、あまり外側から圧力をかけ
たり、変な目で見たりせずに、子どもがのびのびと育つことが出来
る環境を与えていくことが大切だと思った。「俺的には周りの子と
いっしょのようにしてほしかった」という言葉が印象に残ったから
だ。また、彼にとって、ベトナム語教室は嫌だったことから、やは
り無理やり何かをさせるのは良くないと思う。もし複数言語を学び
たいと思えば、ナムさんのように大人になってから、学ぶこともあ
る。一人ひとりの子どもの気持ちに寄り添った言語教育をするべき
だと思う。

塚本実知子 ｜ 教育学部３年

　複言語環境で成長する子どもに関わる大人は、その子どものバックグラウンドを誇張しすぎず、一人の人間として接する必要があると思います。NAM さんも、今となっては自分のルーツに納得していますが、子どもの頃は日本で皆と同じように育って日本語も話せるのにベトナム人扱いされたことが悩みの種であったと話しています。このように、自分のルーツにコンプレックスを持つ子どもは少なくないと思うので、無理にそのルーツに関する質問や話はすべきではないと思いました。

Qu Jiaxian ｜ 社会科学部・交換留学生

　複言語社会で成長する子どもに関わる大人として一番大事なのは、その子どもたちの苦悩や困惑に思いやることです。多数の言語環境の中に育つ子どもたちは、他の子どもよりアイデンティティの形成について悩んでいるかもしれません。だから大人としては、その子たちの悩みをしっかり聞いて、その子たちのそばにいてあげて、困る時に気軽に頼られる対象になるのが大事だと思います。同じ経験をしたことがないかもしれないが、その子たちの悩みを理解するように努力したら、子どもたちも自分のことをわかろうとしている人がいることだけで少し安心するのでしょう。無理やり何かをさせるよりは、子どもに自分は一人きりではないことを知らせるのが大切だと思います。

真由 ｜ 国際教養学部２年

　NAM さんの両親が彼を無理やりベトナム語の教室である鷹取教会へ向かわせたことに対して非常に違和感を覚えた。というのも彼はこの時「やらされているっていう感じがある、自分からやろうじゃないし、（学ぼうと）全然思わなかったり」と彼自身の心境を述べている。最も彼に寄り添わなければならない大人である両親が彼の意志や環境を無視して強制的に行かせるのは彼の為にもならない。日本人しか周りにいない中、彼が純粋にベトナム語を不要だと感じる

ことは自然だ。さらに、ベトナム語教室にてコミュニケーションを行うことと文字を読んだり書いたりすることが違うということを実感し、壁にぶつかっている。そのため、家庭内で言語を少し使うことと文字などを使い勉強するということは違うということを大人が認識することも重要だと考える。NAMさんの両親がしきりに彼をベトナム語教室に通わせたのは、彼の中に存在するベトナム人としてのアイデンティティを失ってほしくないという願いがあったからだと推測できるが、実際外国へ行って身をもって学ぶことと文法や単語などを通し言語を学ぶことにはやはり本人の学ぶ意志が重要になってくる。つまり、大人は子どもの意志を理解し尊重し、言語を学ぶことが子どもにどれほどの負担がかかるのかをきちんと認知するべきである。

Y.T. ｜ 教育学部3年

「みんなと違う」と感じてしまうことが、子どもたちのアイデンティティに揺らぎをもたらしてしまうのではないかと感じた。「みんなと違う」ということをネガティブに捉えてしまうことにより多数派へ同化しようとしてしまうことが、その後新たに自分のアイデンティティが分からなくなってしまうと思う。また、この「みんなと違う」という思いは、大人の、その子を特別な目で見てしまうことが一つの原因だと思う。気を配ることは必要かもしれないが、それが「あたり前」として受け入れてあげる環境づくりが大人に求められていると思う。

松原直輝 ｜ 政治経済学部1年

学びたいと思わなければ学べるわけがない。結局、そこに尽きるのかなと思います。子どもは、肌の色や名前という見た目だけで周りから「違う」と思われ、その中で過ごさねばなりません。そして、この状況は周囲の成長を待たなければ、どんな大人も対応できません。また、子どもすべてを監視するのは無理ですし、できたとしても健全に育ちません。日本の子どもが「一人一人全く違う」ように

なれば別ですが、おそらく、そんな日は来ません。

　それゆえ、親や周りの大人が、その子の「負荷」になるような教育や指導を避けることが一番だと思います。確かに、両親の母語を学んでほしい、あるいは「せっかくバイリンガルになれるのだから」という大人の動機は理解できます。しかし、その気持ちが、子どもへの強制になれば、その子どもが嫌になるのは当然です。自分の意思の表現が拙い子どもだからこそ、慎重になるべきと思います。少し逸れますが、馬の騎手も上手い人ほど、馬に「こちらに進め」と強制しないように乗るそうです。

　だからこそ、もし親が自分の母語を学ばせたいと思うのであれば、子どもが「学びたい」と思うきっかけを作るしかないと思います。

N.N. ｜ 国際教養学部

　NAM さんのライフストーリーから大人が学べるのは子どもの言語に対する意識というのは成長過程によって変化していくことだと思います。そのため、無理に子どもに複数の言語を習得させるのではなく、多様性を認めてあげること、複数の文化や言語に触れている子どもたちに、どのように自分の中の複数の文化や言語と向き合っていくのかを考えさせてあげることが大切だと思いました。国籍に囚われることなく、また言語や文化を強制させず、一人一人の子どもが自分自身と向き合い、さまざまな経験から自分自身のアイデンティティを形成できるような環境作りこそが複言語環境の中で成長する子どもに大人がしてあげられる最も大切なことなのではないでしょうか。このような環境を作り上げるためにも、複言語社会の中で成長する子どもたちがいることやその子どもたちが抱える問題に関する認知を広めることが大事だと思います。そうすることで自分は周りの子どもとは違う見方をされている、周りと違うと思われたくない、などといって自分のアイデンティティについて悩む子どもたちの心を軽くしてあげられるのではないでしょうか。

T.Y. ｜ 政治経済学部２年

　私は日本の教育の特徴として画一的なカリキュラムの元ですべて
の子どもに平等な教育を行なっている、ということがあると思いま
す。すべての子どもに平等に高いレベルの知識を身につけさせると
いうことも大事だとは思いますが、それと同時にどうしても〝他の
子どもたちと自分は違う〞、〝自分は少数派である〞という思いも芽
生えやすい環境であるというふうに思います。グローバル化で移動
する子どもが増え、昔以上に違ったアイデンティティを持つ人が日
本に住み始めた中で、この平等的な教育方針の利点を守りつつ、少
数派であることを嫌わない、それを受け入れる環境づくりが必要な
のだと思います。

C.S. ｜ 政治経済学部４年

　保育所／学校の先生に特別扱いされるのが嫌だった、周りの子と
同じように接してほしかったとナムさんは言っていて、ある程度の
配慮は必要かもしれないけれど、必要以上に特別扱いするのは子ど
もにとって負担になるということを学びました。また、ナムさんは
家でベトナム語は話してほしくないと親に言っていて、親にとって
は悲しいことで何とかしなければならないという気持ちになるかも
しれないけれど、そのような発言は子どもが成長する上での一つの
フェーズであるということも頭の片隅に置いておく必要があると思
いました。

▶ 授業を終えて④

・これまで事例と異なり、ここで初めてライフストーリーという「人の人生
　（の一部）」に触れ、学生たちはどう反応するのか、あるいは何を「抽出」
　するのかに注目しました。

・学生たちの視点は大きく三つありました。一つは、子どもの視点です。た
　とえば、「ベトナム語を無理に学ばせるのはよくない」、「学びたいと思わ
　なければ学べない」、「子どもが嫌がるのも当然」などです。二つ目は、周
　りの大人や教員の対応についての視点です。「自分は一人きりではないこ

とを知らせるべき」、「子どもにどれほど負担がかかるかを認識すべきだ」、などです。そして三つ目の視点は提案です。「子どもに寄り添った言語教育が必要」、「言語に対する子どもの意識は成長過程で変化していく」、「みんなと違うことを「当たり前」として受け入れてあげる環境づくりが大人に求められる」、などです。

・学生たちの視点は多様であり、かつ、子ども、学校、社会へと広がりの中で考察していることがわかります。また、そこには学生たち自身の過去の体験や大学生としての社会認識があることもわかります。ただし、学生はまだ親になっていないので当然ですが、親が使う言語を自分の子どもに教えたいと思う親の気持ちへの理解や言及は多くありませんでした。この点は、学生たちの将来に委ねたいと思いました。

5.5　第5回目　ライフストーリーを解釈する2

第5回目の授業の最初に、前回の「レビューシート」について、学生たちの意見を紹介します。次のスライドは、実際のクラスで示したものです。

| NAM さんのライフストーリーから学ぶこと

・子どもが成長する一つのフェーズであること
・子ども自身に任せるべきか、アドバイスするべきか難しい
・少数派であることを嫌わない、それを受け入れる環境が必要
・子どもが「学びたい」と思うきっかけを作ること
・自分でなんとかしなさいというのは、無責任極まりない
・子どもにとって教師は大人のモデル
・一人の人間として接する必要がある
・言語を学ぶことは子どもにとって負担になる
・子どもが楽しんで学べる環境づくりが大切
・一人の人間として認めてあげること

NAM さんという、自分たちと同世代の一人の若者が、日本の中で幼少期から複数言語環境で成長してきた「生き様」を知って、学生たちの率直な気持ちが出ていると思います。ここでも、何人かの学生に発言の説明をしても

らいます。そして、NAM さんのライフストーリーに、移動、ことば、アイデンティティが色濃く反映していることを確認します。

　次に、この回の授業のテーマである、「ライフストーリーを解釈する」の2回目として、マクマイケルさんのライフストーリーを読みます。

　ウィリアム・マクマイケルさんはカナダ人の父と日本人の母のもと、カナダで生まれた方です。2011 年の東日本大震災の際に福島で被災しましたが、福島に在住する外国人の支援活動に取り組むとともに、福島の姿を世界に発信する活動をしていました。たまたま私がその活躍を新聞記事で知ったことがきっかけで、早稲田大学にお呼びし、講演をしていただきました。その講演は、幼少期からの自らのライフストーリーそのものでしたので、テキストに掲載しました（pp. 70-74）。

　マクマイケルさんはカナダのバンクーバーで生まれた 30 代の男性です。彼のライフストーリーの概要は以下です

　　マクマイケルさんの父はカナダ人、母が日本人でした。彼が 5 歳のとき、日本文化や日本語を学んでほしいという父親の意向で、家族は徳島へ移住、そこで 3 年間暮らしました。最初は日本語ができませんでしたが、マンガやゲームを通じて日本語を習得しました。母親が買ってくれた本に新渡戸稲造の生涯を紹介するマンガの本があり、それを読んで、将来は「カナダと日本の架け橋」になると決意します。徳島では日本語のできる子どもとしてテレビに出るほど有名になりました。しかし、すっかり英語を忘れてしまい、カナダに帰国すると、再びことばの壁を体験します。その頃は、「日本に帰りたくてしょうがなかった」と言います。その後、徐々に英語力がついていきますが、自分のアイデンティティについても考えるようになりました。「英語人の僕と、日本語人の僕」が共存している状態だと言います。自分はどちらにも属しており、パワーアップしていると考えるようになったことと、幼少期に読んだ新渡戸稲造の伝記マンガを思い出して、「文化の架け橋」になるべく、JET Program で福島にやってきます。国際交流員として活躍します。そんな折、東日本大震災に遭遇します。福島の外国人支援と福島を世界に発信する活動を展開するようになります。今は、日本人女性と結

婚し、二人の子どもとともに福島に定住し活動を続けています。

　すでに予習をしてくるように指示していましたので、ライフストーリーを確認する短い時間の後、最初の課題として、マクマイケルさんの人生グラフ（p. 76）を作成するように指示します。その上で、グループ討議で、「マクマイケルさんは、それぞれの発達段階において、どのような問題にぶつかったでしょうか」（問2）、「その問題を克服していくうえで、どのようなことが支えとなっていたでしょうか」（問3）、「複数のことばや習慣、考え方の中で育ったことは、彼のその後の生き方にどのような影響を与えているでしょうか」（問4）、「彼が自分の生き方を見出していくうえで、影響を与えた出来事にはどのようなものがあったでしょうか」（問5）を考え、グループ討議をするように指示し、その後、クラスで意見交流をします。

　最後に、次のスライドを映し、宿題としました。

マクマイケルさんのライフストーリーに多様な「移動の経験」があります。あなたにとって、印象的な「移動の経験」は何ですか。また、その理由は？

　実は、この宿題の文章は、2通りに読めることが、学生たちの回答を見て気づきました。「印象的な「移動の経験」」を、マクマイケルさんのライフストーリーにおいて考える人と、自分自身のこれまでの体験で考える人がいるということです。いずれにせよ、人生に移動が重要な要素になりうることに注目し、その意味を考えることをねらいとしました。その点も含めて、学生たちの回答をご覧ください。

▶ レビューシート　5回目
問　マクマイケルさんのライフストーリーに多様な「移動の経験」がありま

す。あなたにとって、印象的な「移動の経験」は何ですか。また、その理由は？

斎藤彩香　｜　国際教養学部3年

　私はマクマイケルさんの最初の移動の経験が印象に残りました。まず、「興味がわくことが大事だろう」という母親の方針も素晴らしいですし、何よりマクマイケルさんの能力の高さに驚きました。半年で何不自由なく日本語を話せるレベルになって、日本に住み始めてから1年で新渡戸稲造の伝記が読めるというのは、周りの帰国子女を見てもあまりいないように感じます。私も海外から5歳の時に帰国しましたが、模範的な児童ではなかったので、日本語を学ぶ意欲もなく、不自由なく日本語を話せるようになったのは、小学校中～高学年です。おそらくマクマイケルさんの母親の方針がものすごく良かったのだろうと思うとともに、マクマイケルさんを尊敬しました。能力が高いからこそ日本語も英語もネイティブになれたのかな、と少し推測しました。

植地丈華　｜　文化構想学部4年

　私にとってマクマイケルさんのライフストーリーにおいて深く印象に残ったのは5歳の時のカナダから日本への移動と、その後の日本からカナダへの移動の対比です。はじめの第一の移動で彼は言語や習慣の壁を感じつつ、ゲーム等を利用し「楽しんで」日本語を習得しました。言語を「習わなくてはならない勉強の一環」と捉えるのではなく、単純に心の底からの好奇心と楽しさで身につけることで日本語話者のみならず日本人としてのアイデンティティも形成されました。他方、その後の日本からカナダへの移動では明らかに違いが見られます。日本での言語習得や生活があまりにも心の底に突き刺さった反面、当初習得していたはずの英語を忘れてしまいまた新しく「勉強」として身につけていく姿が見られます。この2つの言語習得の経過はまったく異なるように見え、またどちらの方法でもしっかりと成果の出ていることが印象的でした。また、マクマイ

ケルさんははじめの日本語でアイデンティティも形成されるほどの
めり込んだ一方で、英語では勉強として取り入れた分より難しい語
彙やビジネス的な話し方も習得しており、努力の形にも違いが見え
ることが面白いと思いました。

塚本実知子 ｜ 教育学部3年
　私にとって印象的な移動は、去年アイルランドへ語学留学しに行っ
たことです。もちろん、初めての日本語圏でない地域での暮らしだっ
たため、言語の面で思うように他者とコミュニケーションができず
困ったこともありましたが、一番ショックだったことはいつも当た
り前のようにそばにいた家族や友だちがいない環境でした。辛いこ
とがあっても心から話せる相手がいない暮らしは、しばらくして友
だちが出来るまで心理的な面で辛かったことをよく覚えています。

Qu Jiaxian ｜ 社会科学部・交換留学生
　私にとって印象的な「移動する経験」はマクマイケルさんの5歳
の時カナダから日本に引っ越したことです。それはその経験に通し
て移動したのは場所だけではなく、彼のアイデンティティも大きく
移動したからです。日本に引越しする前に、彼は自分のことをずっ
と「英語人」だと認識していたが、徳島に住んでいたわずかの三年
間で、そのアイデンティティが「英語人」から永遠に「日本人と英
語人」に移動しました。彼の人生を振り返ってみると、カナダに住
んでいる時間の方がよっぽど長いのに、彼は自分は「日本ベース」
だとずっと認識しています。その原因は徳島での三年間にあります。
　ただの三年が彼にこんなにつよく影響した原因は、主に二点があ
ると考えられます。一つは、彼はその「移動」のおかげで日本語を
習得したからです。前に授業で議論したように、アイデンティティ
と言語は深く関わっています。彼は日本語を身につけたことで、ア
イデンティティを変えました。もう一つの原因になったのは、おそ
らく彼にとってその三年間の思い出は最高に楽しかったのでしょう。
日本にいる自分は人に注目され、「スター」になっていました。この

楽しい経験があるからこそ、きっと日本は自分の居場所であること
を強く感じたと思います。

真由 ｜ 国際教養学部 2 年

　マクマイケルさんの「移動の経験」の中で印象に残っているのは、
父が子どもたちに日本文化、日本語を幼少期に学んでほしいと願い、
徳島県徳島市に家族で移住し 3 年間日本で過ごしたことだ。今まで
は親の仕事の都合などによって「移動させられる」子どもについて
取り上げてきたが、今回の場合は純粋に日本を知ってもらいたいと
いう欲求のもと「移動させられて」いる。これは珍しいケースでは
ないだろうか。強いられて移動したのではなく、日本文化を学んで
ほしいという意志から子どもを「移動させる」のは父が日本文化を
愛し、それを共有したいという強い思いがなければ実現しない。し
かし、それが子どもの負担になっていたことも事実である。実際マ
クマイケルさんは英語しかできず最初は苦労したと語っている。そ
こで鍵となるのは彼の母親がゲームなどを用い楽しくマクマイケル
さんに日本語を習得させたという点だ。この工夫が彼を最小限の負
担で日本に適応させたのではないだろうか。親の思いが負担になる
場合もあるが、同時に親がその負担を解消するきっかけにもなる。

Y.T. ｜ 教育学部 3 年

　私の中で最も印象的であったマクマイケルさんの移動の経験は、
福島への移動です。きっかけは JET のプログラムだったかもしれま
せんが、日本とカナダを行き来し、それぞれの地域で言葉だけでな
く価値観も経験してきたマクマイケルさんが、震災後も福島に留ま
るというところに、マクマイケルさんの意志の強さを感じました。
「どちらかがよい」という二項対立ではなく、どちらも認めた上で、
今、一つの選択をしているのだと思いました。

松原直輝 ｜ 政治経済学部 1 年

　引越しや移住の経験が殆どないので、保育園から小学校に上がる

時の引越しくらいしか、そもそも移動と呼べる経験がありません（あとは旅行くらいしかないです）。ですから、印象的というより他にないです。まず、自分が小学校に入学をした時には、同級生のほとんどが近くの幼稚園、保育園からの知り合いだったようなので、どこか転校生に近い感覚だったのかもしれません。しかし、当時の純粋で単純な私に、そんなことが分かるわけもなく何となく「学校って、つまらないなあ」と思いながら1年近く過ごしていた感覚があります。

　転校や編入に比べると、おそらく私の経験自体は大したことはないのですが、その当時としては、周りが知り合いなんてことを想像もしていなかったですし「気づいたら慣れないところに来てしまった感」というのが強かったです。今振り返れば、理解できる、知っている「違い」や「背景」を、当時の知性で理解できるわけがなく、ただ何となく前にいた場所に戻りたいなと思っていた気がします。

N.N. ｜ 国際教養学部

　私にとってマクマイケルさんのライフストーリーの中で最も印象的だったのは日本からカナダへの帰国です。苦労しながらも習得していた日本語と自身で「スター時代」というほど楽しかった日本での生活から、再びカナダに戻らなければならない、という複雑な心境と帰国してから経験したカルチャーショックはマクマイケルさんにとってショックなものだったのではないかと思います。また、以前は話せていた英語という言語が話せなくなってしまったという事実も相当ショックだったのではないかと思います。しかし、一旦日本を離れるという経験をしたことで、将来再び日本に移住するという選択肢がマクマイケルさんの中で生まれたのだと思います。マクマイケルさんのライフストーリーにもあるように二つの国を行き来することで両言語、両文化を知る者としての視点から物事を見ることができたため、日本からカナダへの帰国はマクマイケルさんの人生を大きく変えた移動の経験だと思います。

T.Y. ｜ 政治経済学部 2 年

　マクマイケルさんのライフストーリーの中で 1 番印象的だった
ものは 5 歳の頃の徳島県への移住です。私は私が親の転勤で上海に
移ったことがあるように、海外の方が日本に移住してくる理由のほ
とんどが親の仕事の理由だと思っていたため、親が子に日本の文化
も知って欲しいから、という理由での移住もあるのか、と思いまし
た。この移住理由は親が自分の子どもに対して将来こんな人になっ
てほしいという理想像や教育方針が色濃く反映されている移住理由
だと感じ、それが今マクマイケルさんが日本とカナダ両方のアイデ
ンティティをきちんと持てていることに繋がっていると思いました。
今マクマイケルさんが自身の子どもにも同じような経験をして欲し
い、しばらくカナダで過ごして欲しいと考えているのもこの幼少期
の移住が大きく関係しているのだと思います。

A.I. ｜ 政治経済学部 1 年

　マクマイケルさんの移動の経験の中で私にとって一番印象が残っ
たのは日本からカナダへの移動です。私自身はアメリカで生まれ、
3 歳で日本に帰り、また 8 歳でアメリカに戻りました。アメリカに
戻ったとき私も英語がまったく喋れなくなっていて、最初は日本に
戻りたくて仕方なかったのでマクマイケルさんの経験と重なる部分
が多く、一番印象に残りました。

キム ハヨン ｜ 教育学部 1 年

　私にとって一番印象的なマクマイケルの「移動の経験」はマクマ
イケルが日本からカナダに帰国した経験である。なぜなら、マクマ
イケルが英語を使えなくなったことをみて幼児期の言語の重要性を
感じたからである。私は今幼稚園児に数学を教えている。その子た
ちはみんな韓国人かハーフで、韓国語を学ぶために韓国の塾で勉強
をしている。親の話を聞くと、韓国学校はあるが幼稚園はないので
子どもが韓国語を使わなくなっていくのがすごく心配であるそうだ。
やはり周りの友だちを見ても幼稚園と小学校低学年の時一番よく

使った言語が母語となる気がする。マクマイケルも幼児期に日本語を主に使ったので英語を忘れてしまったのではないか。そして低学年の時に英語を始めたので早めに習得できた気がする。

 C.S. ｜ 政治経済学部 4 年

　マクマイケルさんが日本からカナダに帰国したときの話が、自分がアメリカから日本に帰国してきたときの経験と一致する部分があったので、非常に印象的でした。数々のカルチャーショックがあり、言語も恋しくなったりして、マクマイケルさんが日本に帰りたくてしょうがなかったように、私もそのときはアメリカに帰りたくてたまらなかった記憶があります。

▶ **授業を終えて⑤**

・マクマイケルさんのライフストーリーを読んで「移動」について考えるという問いです。幼少期にカナダから日本へ移動、数年後に日本からカナダへ移動、さらにまた日本へ移動と、マクマイケルさんの移動の経験に、学生たちは自分の経験と重ねてコメントを書いています。

・ここで大切なのは、マクマイケルさんの移動の経験を参照点として、自分の移動の体験に向き合うことです。そのことを通じて、自分自身を客観的に把握し、かつ、他者と体験を共有し、その移動の意味を考えるということです。

・学生たちは、マクマイケルさんの親の考え方にも注目していました。親が子どもをどういう人間になってほしいと願っているのかに思いを馳せ、理解しようとした点は、これから親になる学生たちにとっては貴重な考察になったのではないでしょうか。

5.6　第 6 回目　ライフストーリーを解釈する 3

　第 6 回目の授業も、宿題のレビューから始めます。前回の「レビューシート」について、学生たちの意見を紹介します。次のスライドは、実際のクラスで示したものです。

> ## 印象的だった「移動の経験」
>
> ・「5 歳の頃の徳島県への移住」
> ・日本からカナダへの移動。
> ・（その時の）逆カルチャー・ショック
> ・日本に帰りたくてしょうがなかった。
> ・「肯定的に移動した」経験が印象的だった。
> ・福島県へ行ったとき
> ・アイデンティティも大きく移動した
> ・カナダへ帰国したシーン。現在の行動にも影響しているから

　ここでも、何人かの学生に発言の説明をしてもらいます。興味深かったのは、前述の通り、マクマイケルさんのライフストーリーに、自分の体験を重ねて考えている点でした。私は、留学などの場合に起こる異文化適応の一般的なモデル（ハネムーン期→カルチャー・ショック期→安定期→帰国前不安期→帰国後ハネムーン期→逆カルチャー・ショック期→安定期）を説明し、子どもでも移動にともない心理的な負担や変化が生まれることを説明しました。これは、これから海外留学する学生にとっても予備知識として必要なことでしょう。

　次に、この回の授業も「ライフストーリーを解釈する」というテーマの3回目として、陳天璽さんのライフストーリーを読みます。このライフストーリーは、陳さんが、早稲田大学の先生（現在、早稲田大学国際教養学部の教授）になられる前に、私の研究会で講演された内容を彼女のライフストーリーとしてまとめたものでした（pp. 80-84）。

　さて、その陳さんのライフストーリーの概要は以下です。陳さんは、中国本土から台湾を経て渡日した両親のもと、横浜中華街に生まれました。家族は、日本が中華民国（台湾）と国交を断絶した際、中華人民共和国（中国）の国籍を選ばなかったため、陳さんは、「無国籍」となりました。

　　陳さんの両親は中国の内戦を逃れて台湾へ移動し、結婚し、戦後、日本へ移住します。そして横浜の中華街で暮らしながら、子どもたちを育

てます。陳さんは家庭内では中国語を使用しました。幼稚園は最初インターナショナル・スクールに入りましたが、その後、日本の幼稚園へ転入。そこで、最初のカルチャー・ショックを受けます。小学校は中華学校に入学します。学校の授業は中国語でしたが、友だちとの会話は日本語でした。高校で再び日本の公立高校へ入学し、日本語で授業を受けます。やがて大学に入学し、さらに、アメリカへ留学します。やがて世界各地の Chinese についての研究者となります。陳さん自身のアイデンティティのことや「国籍」について研究するようになります。またご自身の家族、特に子どもの教育と言語、国籍についても語り、子どもにはオプションを広げられる環境を与えておきたいと語ります。

すでに予習をしてくるように指示していましたので、ライフストーリーを確認する短い時間の後、最初の課題として、陳さんの半生の軌跡を「出来事・エピソード」「陳さんのことば、心、人間関係、アイデンティティ」に分類し、それについて「あなたの解釈（どんなテーマか、テーマについて何がわかるか）」を加え、表にする作業を行います（問1）。さらに、グループ討議で、印象に残ったこと（問2）、「これまでに学んだどのようなテーマと関連しているか」（問3）など、話し合うように指示します。

そして最後に、陳さんのライフストーリーを踏まえて考える課題として、

> 問4　複言語で育った子どものことば、アイデンティティ、生き方と国籍は、どのように関わっていると思いますか。あなたにとっての国籍の意味を振り返りながら、考えましょう。（p. 88）

を宿題とすることを説明します。

国籍は、いわゆる「純ジャパ」の学生はふだん気にならないかもしれませんが、はじめに述べたように「移動する時代」に生きる大学生として考えておくことは大切なことと思います。

この問いに学生たちはどう答えるのでしょうか。では、学生たちの回答を見てみましょう。

問　p. 88 の問 4

「複言語で育った子どものことば、アイデンティティ、生き方と国籍は、どのように関わっていると思いますか。あなたにとっての国籍の意味を振り返りながら、考えましょう」について、あなたの意見を書きましょう。

斎藤彩香 ｜ 国際教養学部 3 年

　私にとっての国籍の意味を考えた時、国籍は自らを定義づけるものであると思う。しかし、アイデンティティの形成にも影響を与えるものの、国籍イコールアイデンティティではない。私も国籍は完全に日本だが、心はアメリカ人だと思う。そして最後に、国籍は働ける場所、住める場所を完全に変えてしまう。例えば日本人なら、ワーキングホリデーなどで様々な場所で働けるが、極端な例でいうと、北朝鮮籍だと、国外に出るのも困難だ。つまり、国籍はアイデンティティにある程度影響を与え、住む場所、働く場所など生き方をある程度決めてしまうものだと思う。

塚本実知子 ｜ 教育学部 3 年

　私にとって国籍とは、「身体的にも精神的にも自分を守ってくれるもの」です。最近は国籍を持たない人達、いわゆる無国籍者に関するニュースをよく耳にしますが、無国籍であることによりその国の社会保障が受けられなかったり、就職において差別される可能性があるため十分にお金を稼ぐことができなかったりするなど、無国籍者は人間らしく生きていくことすら難しいことが想像できます。また、国籍というのは目には見えなくとも、精神的に「1 つのグループに属している」という安心感を得ることができます。このように、国籍は子どもが人間らしく安心して生活していくために無くてはならないものだと思います。

Qu Jiaxian ｜ 社会科学部・交換留学生

　複言語で育った子どもにとって、ことばも生き方も国籍もアイデンティティの一部ではありませんか。自分が話している言語と周りの環境とパスポートに書かれた国籍で、自分は何人だと認識していると思います。しかし、言語と生き方とは違って、国籍は日常生活に出てくるものではありません。海外旅行のためにパスポートを出すためでなければ、あまり自分の国籍を実感しないのでしょう。もちろん移動する子どもにとって、国籍はもっと身近にあるものかもしれないが、日本のパスポートを持っているから日本人よりは、日本文化に囲まれて育ってきたことで自分のことを日本人だと認識しているのでしょう。ことばや生き方のようなアイデンティティに染み込むことに比べると、国籍はより形式的なもので、独立している概念です。自分とのインターアクションがあまりなく、一方的に付けられたタグのようなものです。

真由 ｜ 国際教養学部 2 年

　私にとって国籍というのは自分がどこかしらに属しているという安心感を与えるものだ。何か起こった時国が守ってくれるのはもちろん、保障などを受けることができるのは特定の国に属しているからである。自身が喋ることばは当然生まれた国に左右されるうえ、生き方はその国の文化の影響を多く含んでいる。ゆえに人を構成するうえで生まれた国や住んでいた国は欠かせない要素である。また、アイデンティティも住んだ国や環境に大きく影響されるため、国籍はどの人にとっても生きる上で非常に重要に関わってくると考える。しかし、複言語社会で育つうえで一つの国籍に執着するのではなく、自分を構成するすべてが自分自身を表していると捉えたほうが良い。さらに、グローバリゼーションが進む世の中において人と人との境界が非常に曖昧になってきている。その時国籍だけにしがみつくと、アイデンティティの崩壊などを引き起こす可能性がある。今回の陳天璽さんにとって名前がそうであったように、自分だけしか持っていないものを見出した時、大人がそれを尊重し認めることが重要で

ある。

Y.T. ｜ 教育学部3年

　ことばはアイデンティティを形成する上で影響しており、それにより生き方も影響されると思います。このことば－アイデンティティ－生き方という関わりは、国や地域を移動する中で流動的に変わるものであるかもしれませんが、「国籍」は1つしか持てないという点で固定的になってしまうため、流動的に変わりうる生き方に必ずしも影響するとは言えないのではないかと思いました。ただし、「国籍」が固定的であるがゆえに、その人のことを証明するようなものと考えれば、一種のアイデンティティを形成するものになり得るとも考えました。

松原直輝 ｜ 政治経済学部1年

　もし国籍というものが存在しなければ、一人一人がもっと自由に行動することは可能かもしれません。ただし「すべてを自力救済せねばならない」という強い制約がついてしまうように感じます。国籍によって、外国に行って事故に遭った際に保障があります。社会保障についても、ある程度同じことが言えます（正確には国籍ではなく、日本で働き納税していることが条件ですが）。つまり、国籍とは「自分がある程度負担をする代わりに、何かあれば救済をしてもらう」というメンバーシップ的な側面があります。

　ただし人の移動と交流が盛んになる中で、国籍というメンバーシップが、資格だけではなく「シグナル」として意味を持つようになってきているのも事実です。差別であったり、ステレオタイプであったり、あるいは、メンバーシップの意義に対する心理的補助にもなったりします。このシグナルが「人からどう見られるか」に大きく関わるので、アイデンティティに強く関わるのかなと、思います。

N.N. ｜ 国際教養学部

　私は「国から国民として認められる」という点では、自分の居場

所が国籍によって得られるのではないかなと思いました。自分の居場所がある、という安心感は個々のアイデンティティ構成に大きく影響すると思います。ですが、誰かを評価し判断する時に使われる国籍は固定概念が多く、個性を受け入れないもののように感じます。国籍を持っていても、その国に長期にわたって生活していたとは限りませんし、同じ国籍を持つ人でも生活環境によってさまざまな人がいます。そのため、国籍に囚われず、どんな環境で、どのような経験をし、どのように考えるかが大切であることを私たちは複言語で育つ子どもたちに教えていくべきだと思います。

 T.Y. ｜ 政治経済学部 2 年

　私は国籍の意味を考えた時に、他者がある人のアイデンティティを判断する際に一番最初にたどり着く分類方法だと思いました。多くの人がある人に初めて出会いその人がどういう人かを知りたいと思った際に、国籍に関する質問をしてその人のアイデンティティや辿ってきた環境を判断すると考えたからです。

　このことを踏まえた上でことばや生き方と国籍との関係を考えた時に、例えば、ある人が日本国籍だと仮定した際、その人や他人が考える“日本人”の特徴をその人自身も持たなければならない、だとか、日本国籍を持っているなら日本語を喋らなければならない、だとか、良くも悪くもその人の生き方を縛ってしまうことに繋がってしまうのではないかと思いました。

　また複言語で育った子どもの多くに、生まれた時に二重国籍や多重国籍で生まれた子どももいると思いますが、日本では多重国籍は認められておらず、大人になった時に国籍を選択しなければならないのですが、その際に国籍選択というのは自分のアイデンティティを絞らなければならないというような、自分が辿ってきた生き方が否定されたような悩ましい気持ちにさせられるのではないかとも思いました。

A.I. ｜ 政治経済学部 1 年

　私は日本とアメリカどちらの国籍も有しています。なので戸籍上は日本人でもあり、アメリカ人でもあります。アイデンティティの点ですが、アメリカに移動してから○○人というのを意識するようになりました。それまでは二つの国籍を有していようがいまいがあまり関係ない生活を送っていたので、気にしたことがありませんでした。しかしアメリカに移動してからは、まず飛行機に乗る際に私だけアメリカのパスポートを提示したり、アメリカに行っても現地校への入学がほかの日本人よりも簡単だったりと、いろいろと意識せざるを得ない環境になりました。よって私にとっては「移動」と加えてさらに「国籍」もアイデンティティの変化の大きな要素でした。

C.S. ｜ 政治経済学部 4 年

　ことばはアイデンティティ形成の一部になり、国籍はアイデンティティや生き方に大きな影響を与えると思います。自分は生まれたときから当たり前のように日本国籍だったので、日本で暮らしている分には特に国籍について何とも思っていませんでした。しかし、アメリカに住んでいたときは、アメリカの国籍をもっていないことによる多少の不便を感じたりして、国籍の影響力の大きさを実感しました。よって、国籍やアイデンティティ、生き方というのは、切っても切れない関係なのではないかと思います。

▶ **授業を終えて⑥**

・陳先生は早稲田大学の国際教養学部の先生ですから、学生たちにとっては身近な例となったでしょう。しかし、陳先生のストーリーで重要なテーマは、国籍、アイデンティフィケーションでした。このテーマは、いわゆる「純ジャパ」にとってはふだん意識しないことかもしれませんが、これからの移動する時代、またグローバル化する社会で避けて通れないテーマと思い、問いかけました。

・学生たちのコメントは、ご覧の通り、多角的な考察でした。学生たちは、

国籍は「安心感」、「居場所」、「自分を守ってくれるもの」という面と、「一方的に付けられたタグのようなもの」とも感じます。「国籍は子どもが人間らしく安心して生活していくために無くてはならないもの」で、「一種のアイデンティティを形成するもの」でもあるという意見、つまり国籍とアイデンティティの関係を考察した意見も、ありました。

・一方で、国籍から生まれる「他者理解」や人間関係を指摘する意見もありました。たとえば、国籍は他者を理解するときに「一番最初にたどり着く分類方法」であり、逆に言えば、「人からどう見られるか」に大きく関わるという意見です。そうなると、たとえば「日本国籍を持っているなら日本語を喋らなければならない、だとか、良くも悪くもその人の生き方を縛ってしまうことに繋がってしまうのではないか」という懸念も指摘されました。

・さらに、二重国籍者の体験や、「人と人との境界が非常に曖昧になってきている」現状の指摘、また国籍選択の際には、「自分のアイデンティティを絞らなければならないというような、自分が辿ってきた生き方が否定されたような悩ましい気持ちにさせられるのではないか」という指摘がありました。

・グローバル化と移動の時代の中で、現実には多様な人々が共に生きている現実があることも指摘されました。「国籍は自らを定義するものだが、国籍＝アイデンティティではない」、だからこそ、複言語で育つ子どもは多様で、「国籍に囚われず、どんな環境で、どのような経験をし、どのように考えるかが大切であることを私たちは複言語で育つ子どもたちに教えていくべきだ」という主張につながります。

・この問いは、「国籍やアイデンティティ、生き方というのは、切っても切れない関係なのではないか」という意見があるように、子どもも大人も、考え続けなければならないテーマと言えるでしょう。

5.7　第7回目　コースのまとめ

第7回目の授業も、宿題のレビューから始めます。前回の「レビューシート」について、学生たちの意見を紹介します。次のスライドは、実際のクラ

スで示したものです。

> ## p. 88 の問 4 について
>
> ・国籍は子どもが安心して暮らすために必要なもの
> ・アメリカに住んでみて、国籍や何人であることを意識した
> ・国籍選択。自分が辿ってきた生き方が否定される悩ましい気持ち
> ・日本人でもあり、アメリカ人でもある
> ・アイデンティティを一つにしたり、縛るものにはしたくない
> ・国籍は日本だけど、心はアメリカ人
> ・アイデンティティや生き方はもっと柔軟であるべき
> ・国籍だけではないよと伝えたい

　ここでも、回答した学生に発言を促し、思いや考えを補足説明してもらいます。国籍について自分の考えを大学の教室で発言するのは、学生にとって初めてかと思いますし、国籍についてのクラスメートの意見を聞くこともあまりないと思います。国籍を法的処遇とだけ捉えるのか、思いや安心といった心理的な部分も含めて捉えるのか、重いテーマであることがわかります。これも、これからの時代を生きる学生たちに一度は考えてほしいテーマです。

　7 回目の授業は、シラバスでは「ライフストーリーを聴く」でしたが、ゲストの都合により、その内容を最終回へ回し、コースのまとめの授業としました。

　はじめに、NAM さん、マクマイケルさん、陳先生のライフストーリーから、「幼少期より複数言語環境で成長する子どもの生（life）をどう捉えるのか」という問いを出しました。その上で、スライドを使って、私の考える「移動する子ども」というコンセプトについて説明しました。その概要は、以下です。

・「移動する子ども」の特徴は、①空間の移動、②言語間の移動、③言語教育カテゴリー間の移動。

・「移動する子ども」とは、分析概念であること。
・その中心は、日常的移動と個人史的移動により形成される「経験」と「記憶」である。

　その上で、タイ人の父と日本人の母を持つ若者、ドイツ人の父と日本人の母を持つ若者の二つのケースのライフストーリー（詳しくは、川上、2018）を紹介し、「移動する子ども」という分析概念で分析します。そこからわかったことを、以下のように説明します。

・複数地点の移動、複数言語間の移動、複数言語を使用する体験、学びの場の移動、異なる言語で学ぶ体験が、考えること、思考、コミュニケーションと生き方、アイデンティティ形成へ影響しているということ。
・さらに、「ある場所、ある言語、ある学校」だけでは語れない世界があること。
・このような「移動とことば」に関わる記憶が国籍、言語、血統を超える意識を生む。
・記憶の意味合いは日々更新され、自己と社会の関わりとアイデンティティ交渉が続く。
・「移動する子ども」という記憶は、「他者のまなざし」と「自己表象」という社会的な関係性を意味する。
・そのため、アイデンティティの揺らぎ、多様な言語資源への気づきを持ちつつ、当事者の複言語性へと向き合う自己の確立が課題となる。
・したがって、幼少期より複数言語環境で成長したという記憶と心理的揺れへの理解が必要であると同時に、それを支える社会の理解と共感と承認が必要となる。

　以上の説明は、この授業で考えてきたことがアカデミックな意味でも重要な意義があるテーマであることを学生たちに伝えるためです。なぜなら、幼少期より移動した体験やそれにともなう記憶は個人的なものであり、ささいなことであると考える当事者の学生も多いと思いますし、そのような体験の

ない学生にとっては他人事のようなものと捉える傾向があるかもしれないと思ったからです。

　次に、この授業の課題レポートについて、そしてレポートの書き方について、次の内容のプリントを配布して説明します。

レポートの課題

【課題】
複数言語環境で成長した人にとって、「移動」と「ことば」と「アイデンティティ」はどのような関係にあるのか。具体的な例をもとに、あなたの考えを述べなさい。

この課題を考えるために、次の A, B のどちらかの方法を選ぶ。
　A. 授業で使用したテキストにある３人のライフストーリー
　　　（NAM、マクマイケル、陳）を例にする。
　B. 自分のライフストーリーを例にする。

（1）レポートの構成
　1　レポートの主題を説明する。　　　　　　　　　〈研究主題〉
　2　「課題」をどう捉え、何を例に書くかを説明する。〈問題意識〉
　3　「課題」を考えるために、具体的な事例を
　　　いくつか挙げて論じる。　　　　　　　　　　〈事例研究〉
　4　これらの事例から考えたことや意見を書く。　　〈考察〉
　5　まとめと今後さらに考えたいことを書く。　〈結論と今後の課題〉
　6　このことを考える上で参照したものを書く。　　〈参考文献〉

　　　　　　　　　（以下、（2）分量、（3）締め切り等、省略）

配布資料「レポートの課題」

　この授業の後半の活動として、「レポートのためのプレライティング」と題した次のプリントを配布して、自分のレポートを作成することを想定し

て、各項目に何を書くか考えるように指示しました。実際のプリントには、各項目の間にスペースがあり、手書きで書き込めるようになっています。

レポート作成のためのプレライティング

1 〈研究主題〉
2 〈問題意識〉
3 〈事例研究〉
4 〈考察〉
5 〈結論と今後の課題〉
6 〈参考文献〉
　　番号をつけずに、参照文献と書き、その下に文献の著者名、
　　発行年、書名、発行元を書く。
　　文献は、邦文は著者名のアイウエオ順、欧米の場合は
　　著者名のアルファベット順。

配布資料「レポート作成のためのプレライティング」

授業の最後に、次のスライドを示して、今回の宿題を出しました。

あなたが課題レポートで言いたいことを、一言で言うと、何ですか。

各学生の主張をストレートに表現するとどうなるかという意図でした。また、課題レポートを作成するときにも、言いたいことがはっきりしていれば、レポートが書きやすくなるという教員側の思い込みがありました。しか

し、結論を先に言うと、この課題は必ずしも学生たちの気持ちに合っていなかったようです。その理由は、学生たちはまだレポートを作成する準備段階にあり、自分の「言いたいこと」がはっきりしていなかったからかと思います。私としては、大いに反省するところです。実際、この宿題の回答よりも、最後のレポートの方が主張もはっきりし、出来映えも良かったからです。では、上の宿題についての学生たちの回答を見てみましょう。

▶ レビューシート　7回目

問　あなたが課題レポートで言いたいことを、一言で言うと、何ですか。

斎藤彩香 ｜ 国際教養学部3年
　移動とことば、移動とアイデンティティは繋がっているものの、ことばとアイデンティティはもう少し緩やかにつながっている。

植地丈華 ｜ 文化構想学部4年
　「成長期の移動」言語の吸収性と得た経験の処理能力

塚本実知子 ｜ 教育学部3年
　移動する子どもたちがアイデンティティ・クライシスを乗り越えるためには、子どもたちの得意な方の言語と文化を大切に保ちながら新しい言語の獲得を促すと、精神的に安定した状態で新しい環境に馴染むことができる。

Qu Jiaxian ｜ 社会科学部・交換留学生
　空間の移動が人に与える影響は言語環境の変化だけではない。だから「移動する子どもたち」を支援するには言語習得の角度からだけだと物足りないのだ。

真由 ｜ 国際教養学部2年
　移動に伴い多くの変化が人の内で起こるが、その中でも一番の変化は言語である。自身を認識するために使うのも言葉である。言語

がその人を形成する要素の中でも重要な部分であるということは明らかだ。

Y.T. ｜ 教育学部 3 年
　言語やアイデンティティは「同化」されるものではなく「重ねて」いくものであるということ。

松原直輝 ｜ 政治経済学部 1 年
　結局、人それぞれでしかない。理由は簡単だが二つある。一つは、このライフストーリーは非凡な、そして壮絶な経験談だからである。この壮絶さを知ってしまった以上「無視できない」という気持ちにとらわれる。何かしら抽象化をしようとすれば、この「壮絶なる個」は無視されたことに激しく異議を唱える。この異議を抑えるには「人それぞれでしかない」という返答しかない。

　もう一つは、この主題の枠組みである。川上先生は論文の中で、新しい枠組みとして「移動する子ども」という概念を提唱された。この枠組みが、必然的に「人それぞれでしかない」という結論を導く。なぜなら、既存の枠組みに当てはまらない方々の視点を新たに提示したものであり、この方々の疑問と批判こそ、既存の枠組みに向けられているからである。結果的に（妥当な結論に達しようとすれば）「人それぞれ」という結論に達さざるを得ない。それゆえ（具体例については確かに興味深いが）どこかこの枠組みの中で考えるとなると、不自由さを感じざるを得ない。

　（レポートと関係ないが）最後に、我々は括りから逃れて生きることはできない、ということを述べておく。確かに「人それぞれ」という結論は簡単だ。しかし、それでは認知的なコストは余りにも大きくなってしまう。世界の 70 億人に、一人一人複数性が存在するからである。もちろん、認知的コストを理由に個を無視していいわけではないが。だからこそ、目を向けるべきは、このコストと個のバランスをどう取るかであると感じる。

N.N. ｜ 国際教養学部

　移動する子どもたちが使用する複数の言語に対する意識は成長と共に変化することがある。ことばや国籍などに捉われることなく、自分の経験してきたこと、その経験を踏まえどのように感じ、考えたかが移動する子どものアイデンティティを形成していくものである。

キム ハヨン ｜ 教育学部 1 年

　環境的要因は言語に影響を与える。そして環境と言語は社会的・文化的に子どものアイデンティティの形成に影響を与える。

C.S. ｜ 政治経済学部 4 年

　「移動」や「ことば」は「アイデンティティ」の一部になり得るが、それらがすべてではない。また、他者による、自分に対する「アイデンティティ」の意見に惑わされずに、自分の「アイデンティティ」は自分で決めるべきものだ。しかし、それよりも大切なのは、自分自身が他者の「アイデンティティ」に過剰に関わったり、口出ししないようにすることである。

▶ 授業を終えて⑦

・この問いが「不十分」であったことはすでに述べましたが、それでも、学生たちのコメントには考えさせられるものが多数ありました。たとえば、「環境と言語は社会的・文化的に子どものアイデンティティの形成に影響を与える」、「移動がもっとも影響を与えるのは言語だ」、「成長期の移動」、「言語がその人を形成する要素の中でも重要な部分」とストレートな意見がありました。

・一方で、「ことばとアイデンティティはもう少し緩やかにつながっている」、「支援するには言語習得の角度からだけだと物足りない」のように私たちが考えるべきことは言語だけではなくまだ広がりがあるという主張もありました。

・さらに、「言語やアイデンティティは「同化」されるものではなく「重ね

て」いくものであるということ」、「自分の経験してきたこと、その経験を踏まえどのように感じ、考えたかが子どものアイデンティティを形成していく」という意見も傾聴に値するものでした。

・「結局、人それぞれでしかない」という意見も注目されます。つまり、多様な移動、多様な個、多様な生き方があるというだけの議論の先に何があるのかというチャレンジングな意見であり、批判でもあるでしょう。そこも大きな課題であり、さらに実践研究を重ねることが必要です。この点は、第3部で再度、考えてみたいと思います。

5.8 第8回目 ライフストーリーを聴く

　第8回目の授業は、「ライフストーリーを聴く」です。そこで、ゲスト・スピーカーをお呼びしました。春クォーターにテキストで「私はハナ人」というスピーチを読みましたが、その作者の Hana Thomson さんです。

　彼女は、この授業期間中（2019年度春・夏クォーター）、JET プログラムの ALT（英語教師）として都内の高校で教えていました。クラスでは、私が彼女に質問をし、彼女が答える半構造インタビューの形式で進めました。話題としては、幼少期からの生活や家族のこと、日本や日本語学習への思い、大学での勉強、卒業後のアメリカでの仕事や JET で来日し日本で働きたいと思った気持ちなどたくさんのことについて、時系列を追いながら、自由に語ってもらいました。

　Hana さんの話は、学生たちにとっても興味深いものだったと思います。テキストでスピーチを読んでいたこともありますが、幼少期より複数言語環境で成長した、少し年上の人の生の話を直接聞くことはライブであり、インパクトがあったからです。

　Hana さんに対する私の質問が終わった後は、クラスの学生から直接 Hana さんへ質問し、Hana さんに答えてもらいました。質問も回答もすべて日本語で行われました。最後に、Hana さんへ感想やコメントを書きましょうと私から提案し、用意していた記入用紙を配布し、記入後にそれを回収し、Hana さんへ直接お渡ししました。

　その後、この授業の締めくくりとして、最後の宿題をスライドで映し、

「レビューシート」に記述するように指示しました。

> この授業全体を振り返り、コメントがあれば、
> 書きましょう。
> （自分について、あるいは、クラスのみんなに対して）

　この最後の宿題も、あまり工夫のない課題であったと、後で反省しました。学生は課題レポートを書かなければならないタイミングで、時間がなかったのか、回答数も少なかったです。その数少ない回答を、ご覧ください。

▶ レビューシート　8回目

問　この授業全体を振り返り、コメントがあれば、書きましょう。（自分について、あるいは、クラスのみんなに対して）

斎藤彩香　｜　国際教養学部３年
　この授業でアイデンティティと移動と言葉について深く学べた点が良かった。もともと「移動する子ども」と聞いて「自分のことだ！」と思い、この授業を取りました。授業を取ったところ、アフリカ生まれの子どもの話や４か国以上の国を移動した子どもが出てきて、本当に興味深かったです。また、レポートを書くことによって、私の友だちや私自身の移動の軌跡を辿ることができ、本当に良かったです。この授業は私にとって、今学期一番楽しい授業になりました。
　川上教授、半年間本当にありがとうございました。

真由 ｜ 国際教養学部 2 年

　今回の授業は多くの人のライフストーリーを通し、あたりまえですがそれぞれの人がそれぞれ違う人生を歩み、違う経験をし、異なる乗り越え方をしていると実感しました。最後の講義では実際ハナさんのお話を聞くことができ、さらに質問にもお答えしていただきとても貴重な経験となりました。ハナさんのお話の中で特に印象に残っているのは「ダブル」という言葉を川上先生のワークショップでハナさんが初めて知ったということです。今後、ライフストーリーをシェアしてくださった方々のような子どもたちがどんどん増えていきます。その時、アイデンティティ・クライシスなどのさまざまな問題から立ち直るきっかけになると思うので、これからも研究を進めていくのはもちろん、このストーリーを多くの悩んでいる人たちに届ける取り組みが必要と感じました。

松原直輝 ｜ 政治経済学部 1 年

　とにかくいろいろな方の話を聞けたのが本当に良かったです。「移動する子ども」という概念、あるいは複数の言語間で育つ子どもの成長や葛藤、といったものは、この講義を受けなければ絶対に知ることはなかったと思います。そして、自分なりの勝手な・擬似的なカテゴライズされた世界で捉えるだけであったと思います。

　同時に、この「生の」声や経験というものを、どのように伝えていくか、あるいは整備し過ごしやすい環境をつくっていくか、ということについて聞けば聞くほど難しい問題と感じました。日本から「移動しない」人間であっても、「移動する」人々と付き合うことが不可避である時代に来ていますが、そのなかで自分がどう考え行動するのか。そのための視点を（少しだけかもしれないですが）もらえた気がします。

N.N. ｜ 国際教養学部

　私自身も移動を経験してきたこともあって、共感できる点、また新たに学べる点などたくさんありました。クラスでのディスカッショ

ンでも移動の経験や複言語環境で育った方が多く、改めて現在は移動が頻繁に行われる時代なのだなと思いました。華さんのお話や教科書に載っていた皆さんのライフストーリーを読んでみても、大切なのは複言語で育つ子どもに対する理解を示してくれる環境なのではないかと思います。簡略的に括るのではなく、一人ひとりとしっかりと向き合い、その子どもがのびのびと生活できる環境を作って行くことが私たちの課題だと思いました。また今後は前回の授業のように移動を経験した方のお話を聞ける場所が増えていけばいいな、と思いました。そうすることで移動する子どもたちの感じる孤独感を軽減できるのではないでしょうか。

C.S. ｜ 政治経済学部 4 年

　複言語社会での生活が当たり前になってきている世の中で、生き方の選択肢の幅が広くなってきているからこそ生まれる疑問や壁が存在すると思いました。また、それらの疑問や壁は、アイデンティティや文化など、答えが一つではないものばかりです。よって、答えが一つではないからこそ、いろんな人の体験談や価値観を自分の中に取り入れることが大切であると感じました。この授業を通して、いろんな人の生き方に触れ合い、一つ一つの経験を深く考察することができたので、非常に新鮮で有意義な 4 ヵ月間でした。ありがとうございました。

▶ **授業を終えて⑧**

・前述のように、最後の問いも今ひとつ工夫のないものでした。「この授業で多くのことを学びました。ありがとうございます」的な答えを教師が求めていると学生たちが考える可能性があるからです。

・その点に留意しながら、学生たちの意見を聞くと、「ハナさんのお話を聞くことができ、さらに質問にもお答えしていただきとても貴重な経験となりました」、また「移動を経験した方のお話を聞ける場所が増えていけばいいな、と思いました。そうすることで移動する子どもたちの感じる孤独感を軽減できるのではないでしょうか」とあるように、ゲストスピーカー

を招く実践は意義があったようです。

・さらに、「「移動する子ども」という概念、あるいは複数の言語間で育つ子どもの成長や葛藤、といったものは、この講義を受けなければ絶対に知ることはなかったと思います」という意見から、「大切なのは複言語で育つ子どもに対する理解を示してくれる環境なのではないかと思います」と今後の課題へ気づきがあったことも窺えます。

・この授業のねらいでもあった自己の振り返り、たとえば「レポートを書くことによって、私の友だちや私自身の移動の軌跡を辿ることができ、本当に良かったです」という意見もありました。この点は第3部で詳しく考察したいと思います。

・ある学生は、クラスで問われる課題や問いは「答えが一つではないものばかりです。よって、答えが一つではないからこそ、いろんな人の体験談や価値観を自分の中に取り入れることが大切であると感じました」と綴っていました。この点も、第3部で考えてみたいと思います。その前に、学生たちの課題レポート2をご覧ください。それぞれの学びの姿が見えます。

5.9 私の学び、私の意見②〈課題レポート2〉

夏クォーターの最後の課題レポートは、春クォーターの課題レポートと異なります。春クォーターの場合は、「テキストおよび授業内容を振り返り、自分の興味をもったテーマを選び、レポートを書く」という、オープンな課題でした。前述したように、春クォーターに提出された、学生たちの課題レポートに共通するのは、授業で取り上げた問題を「自分の問題として取り上げ、自分の体験にもとづいた意見表明や論理を構築していた点」でした。また、レポートのテーマは、大きくまとめると、ことば、アイデンティティ、言語教育でした。

夏クォーターを受講した学生は、春クォーターから連続して受講している学生で、春クォーターの課題レポートをすでに書いた学生です。したがって、夏クォーターの課題レポートの課題は、二つのクォーターの学びを総合するような課題にすべきではないかと私は考えました。そこで、本書の

p. 188 にあるような「レポートの課題」を設定しました。

　夏クォーターの授業では、複言語で育った大人のライフストーリーをめぐり、複数言語環境で育った子どもが大人になり、社会で活躍するプロセスをホリスティックに捉え、さまざまな課題を考えてきました。そこで浮かび上がってきたテーマは、「移動」と「ことば」と「アイデンティティ」でした。これらの語に「　」をつけた理由は、学生一人ひとりによって、その意味や捉え方が異なると思ったからです。

　ただし、春クォーターの課題レポートで、学生たちは自分の体験をもとにすでに意見表明をしており、それ以上にすべての学生に自分のライフストーリーを詳細に書きなさいというような単純な問いかけは良くないと判断しました。もちろん、授業を受けて自分自身を振り返り、自分のライフストーリーを書きたいと思う学生もいるかもしれませんが、たとえ「成績評価」のためにレポート提出が必要であっても、ライフストーリーとして個人情報を開示することを「強要」することは避けなければなりません。また、海外で暮らしたことのない、いわゆる「純ジャパ」の学生でも取り組める課題にならなければ公平な課題とは言えません。そこで、上記の3つの語がどのような関係にあるかを、テキストの3人のライフストーリーか、学生自身のライフストーリーを例に考えることを課題としました。つまり、他者のライフストーリーを分析するか、あるいは自分のライフストーリーを分析するかを選択できるように課題を設定しました。いずれにせよ、複数言語環境で成長する人の人生を「移動」「ことば」「アイデンティティ」を視点に考察するという課題です。

　以上のねらいをもって、夏クォーターの課題レポートを提示しました。結果的には、「純ジャパ」の学生が自身のライフストーリーを語ったり、海外で暮らした経験のある学生が自分のライフストーリーを選ばずテキストのライフストーリーを分析したりとさまざまでしたが、学生たちはこの課題レポートにしっかり取り組んだように見えます。学生たちが与えられた課題から自分のテーマを設定し、さまざまな資料やデータをもとに考察を深めようとした様子が、どのレポートからも読み取れると思います。大学教育における「探究型アプローチの実践」の一例として、学生たちのレポートをご覧ください。

課題レポート①

「移動」と「ことば」「アイデンティティ」の関係について

斎藤彩香 ｜ 国際教養学部３年

はじめに／ 2．問題意識

　私自身が「移動する子ども」だったため、自らの体験をもとにこのレポートを書きたい。なぜこのテーマにしたかというと、提示されたテーマであったからでもあるが、もっとも、私自身、英語と日本語の二つの言語のはざまで生きていた上に、アイデンティティについて悩むことも多かったからだ。

3．事例研究（私自身の事例）

ボストンでの思い出

　１歳の時にボストンへ渡ったが、小さい頃から自分が周りのアメリカ人とは違うことを薄々気がついていた。ほとんどアジア人のいない地域に住んでいたので、なぜ自分の家族だけ見た目が違うのかまったく分からなかった。父親はほとんど英語を話さないし、母親も少しだが、英語に訛りがある。（母親はアメリカの大学を卒業している。）周りの子の両親は綺麗な英語を話すから、「なんでかな」と、４歳ぐらいから思うようになる。また、私に対しては両親とも英語で話すが、二人で話す時は日本語で話していた。なので、家で親が何語で話しているのか、そもそも統一の言語で話しているのかさえ分からなかった。

　決定的だったのが、幼稚園の友だちが「あなたは『アジアの顔』をしているのに、どうしてアジアの言葉を話さないの？」と聞いたときだ。その時まで「アジアの顔」、つまり黄色人種の顔というのがあるなんて知らなかった。自分はみんなとは少し顔が違うのはわかっていたが、「アジアの顔」だなんて思ったことはなかった。でも「アジアの顔」の特徴を聞くと、自分に当てはまるような気がした。しかし私は英語しか話せなかったので、少し恥ずかしい気持ちにもなった。

　５歳からは、ボストン市近くの日本人の多い小学校へ入学した。「アジア

の顔」をしている人は増えたが、話す言葉も雰囲気も違うから、私はまったく近寄らなかった。もうこの時には「私は『アジアの顔』の人たちとは違うんだ」つまり、「私は日本人ではない」と思っていた。

　しかし、入学してすぐに父親のビザがきれたそうだ。12月のとある日、突然母親に「あなたは日本人だよ」と言われて、その3日後ぐらいに出国した。Japanがどこにあるかさえ分からないのに、日本語での自己紹介の仕方を詰め込まれた。この時初めて、自分の苗字がアメリカ人らしいSmithとかWiseとかではなく、聞き慣れないSaitouと聞かされて、ただただ訳が分からなくなった。

日本の幼稚園時代

　練馬の評判の悪い幼稚園に12月後半に入った。しかし当たり前だが、日本語で自己紹介もできないのに、雰囲気に解けこむことはまったくできなかった。しかも、もともとは「『アジア人の顔』の人たちとは違うな」と思った数ヵ月後にまさか「『アジア人の顔』の人たち」しかいない場所に行くなんて思ってもいなくて、ただただ混乱した。この頃から母親は「不人気な幼稚園はやはり娘に合わなかったから、何としてでも良い小学校に入れさせなければ」と思うようになった。しかし、母親が一生懸命日本語を教えれば教えるほど、私は日本語が嫌になった。まだ、これから長く日本に住むという自覚がなかったため、私には日本語が「アジアの顔」の人たちが使う言葉で、自分には関係がないと思っていた。まったく覚える気なんてなかった。

　しかし、幼稚園でのいじめは激しくなり、引っ張られて髪がかなり抜け落ちてしまった。ただ、いじめが激しくなれば激しくなるほど、小学校受験塾での母親の私に対するあたりは厳しくなった。母親も焦りがあったのだろう。塾で、6年間日本にいた友だちと比べられ、「日本は地獄だ」と思うようになった。

千葉へ

　どの小学校も落ちたので親戚の家がある千葉の公立小学校へ入学した。この頃には日常会話なら、日本語で少しするようになった。担任の先生も、機

転を働かせて、「東京から来た子なんだよ」と紹介したところ、クラスメートがいっせいに興味を持ってくれた。「青タン」を「青あざ」と言ったところ、みんなが「まじスゲー」「本当に東京の人だ」と言ってくれて、友達ができはじめた。この時やっと日本人の優しさみたいなものに触れて、もっと日本語を勉強しようと思うようになった。千葉の小学校での日々は楽しかった。

中学受験〜中学

　私が小学校二年生の時の夏にボストンへ行ったものの、両親の離婚により一年で日本へ帰った。離婚する前母親は、私に帰国生入試を受けてほしいと思っていた。しかし、離婚によって少し早く日本に帰ってきてしまったため、一般入試以外の選択肢がなくなってしまった。人生の半分以上アメリカにいたのに、人生ずっと日本にいた子たちに勝たないといけない。そのことに私は気が付いた。なので、私は猛勉強した。結果、女子が入れる一番難しい中学に合格し、千葉市へ通うことになった。しかし、ここからアイデンティティ・クライシスが始まる。その中学には「帰国生」がいて、私は「一般生」となった。しかし英語はかなりできたので、「隠れ帰国」と言われるようになった。それはわたしにとって本当に不本意だった。「帰国生」より長く海外にいたからだ。

高校留学

　高校に進学した頃。母親に高校留学はどうだ、と聞かれた。なんかいいアイデアのように聞こえた。そこで、応募したところ、米大使館から全額奨学金を出す話が来た。私は留学に行くことにした。アラスカ州での生活は首都圏での生活とはまったく違い、新鮮だった。アラスカ先住民の生徒がかなりの割合を占めるので、ボストンとはまったく違う。アラスカ先住の生徒は私によくこう聞いた。"Are you happy now?" そのことにはっとさせられた。人生はアイデンティティなんて小さいもので、もっと大切なのは、幸せかどうかだ、と。先住民の人たちの歴史はかなり暗く、アイデンティティを失った人も多い。それでも強く生きる先住民族の子たちに何か人生の大切なレッスンを教えられた。

4. 考察

　「移動」と「ことば」「アイデンティティ」の関係について考察したい。「移動」は直接的に「ことば」に影響する。なぜなら、日本人が国外に移動すれば、大概違う言語が話されている場所への移動となる。その言語を学ばなければ、生活するのも大変だ。また、移動、特に幼い頃の移動はアイデンティティに直接影響する。移動によって、自らマイノリティになり、価値観が大幅に変わるからだ。このことで自分とは何か、と考えざるを得ない。

　しかし、私は「ことば」と「国籍的なアイデンティティ」は比較的緩やかに影響すると思う。『想像の共同体』（1987）を読んで、公定ナショナリズムの前の人々は、「国籍的な」アイデンティティはそこまで強くあったとは思えないからだ。公定ナショナリズムの前の人に同じ領土内だからといって、同じ国民だという意識はなかった。なぜなら、まだ国民国家の成立前だからだ。つまり、同じ領土内でも違う言語を話すことは不自然ではなかった。日本でも「標準的な日本語を話すから日本人」という強い意識がなかったと思われる。しかし今では、『パスポート学』（2016）によると、自らのアイデンティティを定義するときに、「その根拠となるのは『血統』や『文化』、そして『国籍』だ。そのうち「『文化』はどちらかといえば、自分が主体的に同一視するのに対して、『血統』『国籍』は『付与されたもの』といえる」私にとって、「国籍」は「付与されたもの」という意識が強い。私は国籍的に言えば、日本人だ。だが、文化的にはアメリカ人だと思っている。国籍上のアイデンティティと文化的なアイデンティティの違いは、公定ナショナリズムの前なら、そこまで大きな問題にならなかったのかもしれない。「ことば」とその他の「文化的なアイデンティティ」は密接に繋がっているが、「ことば」と付与される『『国籍的』なアイデンティティ」は間接的につながっていると私は考える。なぜなら、「国籍」は自らをどう見るかというアイデンティティというよりは、他者が自らをどう見るかという「アイデンティフィケーション」的要素が大きいからだ。だからこそ、『日本に住む多文化の子どもと教育』（2016）において、「親の国籍やエスニシティや婚姻形態の分類によって（中略）子どもを「名付け」たり、あるいは子どもをくくって論じたりすることは（中略）子どもの生を理解するには不十分な

アプローチであろう」と論じたのであろう。

5. 結論と今後の課題

　今後は私以外のアイデンティティ・クライシスを起こした人ともっと話したい。また、日本語教師にもしもなったときは、国籍的なアイデンティティだけで子どもを判断しないようになりたい。

参考文献

B. アンダーソン（1987）『想像の共同体——ナショナリズムの起源と流行——』リブロポート
岡本夏木（1982）『子どもとことば』岩波書店
川上郁雄（編）（2010）『私も「移動する子ども」だった——異なる言語間の間で育った子どもたちのライフストーリー——』くろしお出版
陳天璽・大西広之・小森宏美・佐々木てる（編）（2016）『パスポート学』北海道大学出版会
宮崎幸江（編）（2016）『日本に住む多文化の子どもと教育——ことばと文化のはざまで生きる——』上智大学出版

課題レポート②

成長期の移動

植地丈華　｜　文化構想学部 4 年　

〈研究主題〉

　1 つの拠点で生まれ育った人々に対して、いくつかの場所を移り育った人々にはどのような困難や課題が課せられるのか、言語的な変化と心情変化について「拠点」をキーワードに考察していく。

〈問題意識〉

　就職活動をしていた時に自己分析の一環としてモチベーションシートを書いたことがあった。授業のテキストにも掲載されていたような、自分が何歳の時にどのような心情変化があり、どのくらい当時の自分のパフォーマンス

に満足しているかを折れ線グラフで表していくのものである。グラフを作成して気づいたこととしては、自分のこれまでの人生の心情の起伏と拠点の物理的移動は非常に密接に関わっているということである。住居を移し、全く新しい環境に身を投じることでどのように自分が精神的に変化し、移動する前と後でどんな考え方やスキルが身についたかを自分の過去を振り返りながら考察していきたい。

〈事例研究〉

　春クォーター授業「複言語社会を知る1」の課題レポートでも少し触れたが、私は過去に数回親の仕事や家の都合で引越しをしている。今までの移動歴は以下の通りである。

時期	期間	場所
出生〜幼稚園年中	4年半	千葉県船橋市
幼稚園年中〜小学1年	2年半	千葉県船橋市
小学2年	1年	大阪府高槻市
小学3年〜小学4年	2年	大阪府高槻市
小学5年〜中学1年夏	2年半	福岡県福岡市
中学1年夏〜中学3年	2年半	愛知県名古屋市
高校1年〜高校1年秋	半年	千葉県市川市
高校1年秋〜現在	約6年	千葉県鎌ケ谷市

〈考察〉

方言

　言語的な変化のみに焦点を合わせて考察していく。千葉県、大阪府、福岡県、愛知県の4箇所に移り住んだことで私はそれぞれ関東方言、関西弁、博多弁、名古屋弁を身につけた。母語（母方言）以外で初めて習得した方言は関西弁だったが、言語の吸収性の高い幼い時期だったこともあり、大阪の小学校に通い始めて約1週間でほぼ習得したと母が言っていた。また、博多弁の習得には1、2ヶ月以上習得に時間がかかった。この時、博多弁と関西弁の共通点が少ないこともあり、博多弁を習得して以来関西弁を話すこと

はほとんどなくなったと記憶している。名古屋弁は博多弁とある程度の類似性があったため、方言そのものの吸収は速かったものの、これまで話していた博多弁と名古屋弁がミックスした方言を話すようになり、完全に名古屋弁のみを話すことは少なかったと感じている。千葉に帰ってきてからは博多弁と名古屋弁、関東方言をミックスで話したり、敬語の時は関東方言のみになったり、博多弁話者の友達と話すと影響されて博多弁が強く出たりしていた。

心情変化

　心情変化や移動によって身につけたスキルについて考察する。結論からいうと転校や県を跨ぐ引越しは何度行っても辛かったが、引越し慣れというものは確実に存在した。また、移動の回数を重ねるごとに出会う友達や機会、経験の数も大幅に増え、新しい経験・事例への対応力を身につけることができたと思う。具体的には、0から新しい友だちを作る過程で人付き合いから得られる学びや利益の魅力を実感し、それを得るためにはどのような行動をとればよいのかを常に考えるようになった。また自分を客観的に捉え、どうアクションして解決すればよいかを考えることはそのままコミュニティ自体への興味にもつながった。その後の学生生活でより価値観を広げたいという意欲から、海外や留学にも興味を持つようにもなった。また、この引っ越し経験を通じて新規・既存のコミュニティにおける状況把握力が身につき、会話の中で相手が望んでいるものを判断し、それを言葉で与えることができるようになったのも人より多くの機会に触れることができたからだと思っている。その反面、短期間で居を移したことが裏目にでて、特定の人と長い期間交流することが得意ではない。また、幼馴染や故郷と言える場所がないことを引け目に感じることもあった。

〈結論と今後の課題〉

　引っ越しを行うことでそれまで築いてきた密接な友情関係が薄くなることや故郷、幼馴染などに対して疎いところはデメリットではあるが、私は成長期の移動をかなりポジティブに捉えている。吸収力の高い時期だからこそ言語の習得も速く、得た経験の処理能力も高いと考えている。引っ越し先でも種々雑多なコミュニティに所属することで自分の好みや行動傾向を必然的に

分析することができ、経験の引き出しの多さから自分の適正やよりオリジナルなアイデンティティを発見することができることは移動することで得られる最大のメリットの1つだと思う。

　しかし、すべての人が移動することを良しと考えているとは限らず、移動に伴うデメリットをより大きく捉える人がいることや、移動をしたくてもできなかった人がいることも考慮する必要がある。私は自分の経験上移動して成長してきたことが当たり前になっているが、その経験が当たり前のように話してしまうことが多い。移動を経験し、結果論的にその経験をポジティブに捉えている人は、全く移動を行わなかった人に対して共感をもてなかったり、価値観に齟齬が出てきたりすることがある。より多く経験をしてきたことを良しとして、移動することが当たり前という考え方を前提に人と接することは避けたいと考えている。

課題レポート③

移動する子どもたちがアイデンティティ・クライシスを
乗り越えるためには

塚本実知子 ｜ 教育学部3年

　本稿では、マクマイケルさんのライフストーリーをもとに「移動」と「ことば」と「アイデンティティ」の関係を考え、移動する子どもたちなら誰しも経験するであろうアイデンティティ・クライシスをどのように克服すべきなのか論じていく。

1.　マクマイケルさんについて

　マクマイケルさんはカナダ人の父と日本人の母を持ち、カナダで生まれた。5歳の時に日本へ移住したが8歳の時にカナダへ帰国。2007年に再び日本へ行き、福島県で国際交流員として働き始め、現在も日本人の奥様と2人の子供たちと共に日本で生活を送っている。このように、カナダ、日本、カナダ、日本…と幼少期から移動を繰り返してきたマクマイケルさん。まず

はこの移動に伴って、彼のことばとアイデンティティがどのように変化して来たのか考察する。

2-1. 1回目の移動

1回目の移動は5歳の時にカナダから日本へ移住したことだ。もともとマクマイケルさんはカナダで生まれたため、日本語が何も分からない状態で来日した。初めは幼稚園で泣いてばかりいたが、母親が用意した日本の本、マンガ、音楽、テレビ、アニメを通して楽しみながら日本語を学んだ結果、半年で不自由なく日本語を話せるようになった。この時、マクマイケルさんの母が買ってきた本の中に彼が生涯尊敬し続けていく新渡戸稲造の本があり、彼はカナダと日本の架け橋になりたいという想いを持つ。また、当時マクマイケルさんが暮らしていた徳島では外国人が珍しかったため、テレビ出演するほどみんなの人気者であり、すっかり日本が大好きな「日本語人」になったと話している。この1回目の移動から読み取れるアイデンティティの変化は、日本語学習を通じて日本の文化に親しんだことにより、日本のことが大好きになったということだ。また、同じ日本人の血を持つ歴史上の人物・新渡戸稲造について知ったり、日本語で日本人の友達とコミュニケーションを取れるようになったことで、マクマイケルさんの中で日本に親しみを持つと同時に、自分は日本人でもあるという気持ちが大きくなっていったことがうかがえる。

2-2. 2回目の移動

2回目の移動は8歳の時に日本からカナダへ帰国したことだ。日本語と日本文化にすっかり慣れ親しんだマクマイケルさんは、カナダに帰った当初は日本に帰りたくて仕方なかったと話す。5歳までずっと使っていた英語も忘れてしまい、「学習するもの」になってしまった。カナダへ帰っても日本語の本やコミックを読んだり、日本語の歌を聴いたり、また1週間に1～2回は日本語補講で国語の授業を受けたり、と日本語に絶えず触れていた。そのためいくら英語が上達しても、やはりアイデンティティの根底には「日本語人」がいたようで、思春期の頃には自身がカナダ人なのか日本人なのか分からなくなり、アイデンティティ・クライシスという状態になった。この状態

を脱するためにマクマイケルさんが至った考えは、2つの言語を知る自分は普通の人よりも広い視野で物事を考えることが出来るため、とても得なのだという考えである。このような考えがきっかけとなり、幼い頃に抱いた新渡戸稲造のように太平洋の架け橋になりたいという想いがより一層強くなったのだ。この2回目の移動を通して、マクマイケルさんは悩みながらもカナダ人と日本人の両方のアイデンティティを上手く共存させられるようになった。この大きな理由は絶えず日本語の学習を続けたことで、マクマイケルさんの基盤となる言語が形成されたことだと考えられる。そのため、彼は自身の日本語力に自信を持つことができ、精神的に安定して英語の学習にも励めたのだと考える。

2-3. 3回目の移動

3回目の移動は、2007年にカナダから国際交流員として福島県へ働きに行ったことだ。カナダで英語と日本語の両方の学習に励んだこと、また両国での生活の経験が福島に住む外国人の暮らしをサポートする上で役立った。外国人だけに限らず、福島に住む現地の日本人に対しても外国人への偏見を減らそうと積極的に講座を開いた。そのような生活の中で福島の人たちのやさしさに触れ、現在もマクマイケルさんは福島大学の国際担当として働いている。この3回目の移動を通して、マクマイケルさんはしっかりと自分の中のカナダ人としてのアイデンティティを保ちつつ、カナダと日本の文化をよく理解した国際人として日本で活躍していることが分かる。今後彼がどのような人生を歩んでいくか分からないが、きっと幼少期に培ったカナダ人と日本人のアイデンティティを上手に共存させながら広い視野を持って生活していくだろう。

3. 「移動」と「ことば」と「アイデンティティ」の関係

以上、大きく分けて3回の「移動」がマクマイケルさんのこれまでの人生に起こったが、その中で私が思う1番重要な移動は、アイデンティティ・クライシスが起こった2回目の日本からカナダへ帰国する時の移動である。川上他（2014）は著書でアイデンティティ・クライシスについて、「青年期に自己を確立していく段階で、『自分は何者か』『これから自分はどう生きて

いくべきか』など、自己意識についての悩みや不安、葛藤から心理的な危機的状態に陥ること」と説明している。では、移動を経験する子どもたちはどのようにしてこのアイデンティティ・クライシスを克服していくべきなのか。光長他（2002）は日本に住む定住外国人のうち6割を占めるブラジル人に注目して、彼らがブラジルに帰国後、どのようにアイデンティティを変容させていくのか調査した。調査場所はブラジル・サンパウロの近郊都市にある私立学校だ。この学校には日本文化に親和性の高い親や生徒が多くおり、日本語の授業も週2回行われている。授業内では折り紙や音楽を通して日本文化にも触れることができる。また、日本語スタッフや日本からの研修生も在籍しており、日本から帰国したばかりでポルトガル語が不十分な子どもの精神的支えとなっている。実際に5歳から4年間日本で暮らし、9歳でブラジルに帰国してからこの学校に通うユウキ（仮名）は、帰国直後は慣れない環境に困惑したが、この学校の日系の先生たちのおかげでポルトガル語も徐々に上達し、ブラジルでの生活にも溶け込むことができたと話している。このことから、アイデンティティ・クライシスを克服するためには、いきなり慣れない土地の環境に放り込むのではなく、子どもの基盤となっている言語や文化を生かして新たな言語を獲得させていく必要がある。

4. まとめ

　まとめると、移動を経験する子どもは程度の差はあるがアイデンティティ・クライシスを経験する傾向があり、これを解決するためには、子どもの中で得意な方の言語と文化を大切に保ちながら新しい言語の獲得を促すと、子どもが精神的に安定した状態で新しい環境に馴染むことができる。ただし、ここでの1つの問題点は、そのような充実した学習環境を子どもに提供するには教育費が通常よりも多くかかることだ。前述した日本語教育を行っているブラジルの学校も、首都サンパウロの近くにある私立学校ということで高額な学費が必要とされる。なので、移動する子どもが経済的に裕福でない場合、どのようなアイデンティティ形成のサポートが考えられるのか、今後さらに深く考えていきたい。

参考文献

川上郁雄・尾関史・太田裕子（2014）『日本語を学ぶ／複言語で育つ——子どものことばを考えるワークブック』くろしお出版.

光長功人・田渕五十生（2002）「ブラジル人の子どもたちは、どのようにアイデンティティを変容させるのか？——帰国後の再適応を観察して」中国帰国者定着促進センター（http://www.kikokusha-center.or.jp）

課題レポート④

移動とアイデンティティ

Qu Jiaxian ｜ 社会科学部・交換留学生

研究主題

　移動が与える変化は言語環境の他に何かあるのでしょう。その変化はどのように人のアイデンティティに影響を与えているのでしょう。

問題意識

　今までに移動する子どもたちへの支援は主に言語習得を中心に展開しているが、もちろん移動にとって言語環境の変化が一番明らかではあるが、移動とともに変わっていくのはことばの他にも何かがあるではないかと考えられる。移動といっても空間の移動や、同じ場所での言語間の移動など、いろんな可能性があり、マクマイケルさんのようなカナダから日本に引っ越してきた子どももいれば、陳さんのように中華学校から普通の高校に進学する人もいる。その多様な移動の中には、きっと多様な変化が起きていて、アイデンティティに多様な影響を与えているのではないか。私自身も言語間の移動と空間の移動両方とも経験したことがあって、その数多くの変化の中に生きてきた。自分のライフストーリーを振り返ってみたら、言語環境以外、移動は何を変えたかについて何かわかるのではないかと考えていた。これからの移動する子どもたちをよりうまくサポートするためには、移動は一体どんな風に人に影響するのかを見極めなければならない。

事例研究

　私は子どもの頃からずっと学校で英語を勉強していたが、その時の英語はただの科目の一つであって、数学と科学とかとあまり変わらず、一つの言語であることを特に意識していなかったのだ。そして中学二年生になり、私はJ-POP にハマってしまって、歌詞を読むために今までアニメで聞いてきた日本語をしっかり勉強しようと決意し、自らひらがなとカタカナを覚えようとした。そして語彙が増えることによって、日記も日本語で書き始めたが、それはあの時の私にとって暗号みたいなものであり、誰にも読まれないための秘密兵器だった。

　そして高校に入り、私は言語間の移動を始めた。一応公立校ではあったが、海外進学を目指す中国人学生向けのプログラムがあって、授業の七割くらいが英語で行われていた。そのため、私は毎日日本語と英語の間を移動し続けることになっていたが、周りの友達はみんな同じなので、何も意識しなかった。学術で英語を使っていたのではあるが、クラスメート全員中国人だったため、授業が終わった後にすぐ中国語に切り替えるし、学校から出て行っても中国語しか聞こえてこない。英語は前から得意だったので、何の苦労もせずに授業を理解できたし、外国籍の教師たちとも無事コミュニケーションを取れてたので、言語について考えたことが一度もなく、自分のことを普通の中国人だと思っていた。唯一あったのは、プロジェクトやプレゼンテーションのような中国語に訳しにくい学校関係の話をしている時に、自然とそれを英語で言ってしまうことになったが、一回だけ普通の学校の人に「英語ができるアピールしているのが気持ち悪い」と言われ、それからは対象を選んで、空気を読んでから使うようになった。そのことによって、自分の言語に対する感覚は少し変わった気がする。ちなみに、その時日本語もだんだん上手くなったが、周りに日本語をしゃべる友だちがまったくいなくて、ただよくクラスメートに日本語の取り扱い説明書の翻訳を頼まれるくらいだった。

　そしてそのすべてを変えてしまったのはアメリカへの移動だった。私は高校を卒業し、ニューヨーク大学に進学することになった。高校からずっと英語で授業を受けていて、趣味の演劇も最初からずっと英語でやっていたの

で、その移動に対して特に心配がなく、新生活への期待を持ってアメリカに向かったのだ。しかし、実際そこについたら、自分の考えが甘かったと気づいた。もちろん講義を理解するためには何の問題もなかったし、普通にコミュニケーションも取れるが、社交的な場にいるとどうすればいいか分からなくなってしまう。どんな風に声をかければいいか、どんな話題を話せばいいか、中国ではいつも明るくて社交的と言われた私が急に静かになってしまった。英語ができても、アメリカという社会のルールについて何もわかっていなかった。気軽に知らない人に「How are you?」と声をかけること、レジでお金を払った後に「Have a good day」と挨拶すること、それはアメリカでは「普通」なことだった。私も「普通」と見られるために、最初はいつも怯えながら他の人を見て行動していたし、子どもの頃からずっと褒められていた英語に対する自信もだんだんなくなってしまった。

　私は高校時代からずっと演劇をやっていたので、大学に入ってから演劇教育という副専攻を修得することになった。しかしそのプログラムにいる留学生は私一人だけで、クラスメートたちもほぼ留学生と接触したことがなく、海外について何も知らない人だった。最初のパフォーマンスが終わった後に、一生懸命演技を練習して先生からいい点数をもらった私に対し、クラスメートの一人が「英語のセリフを覚えられるなんてすごいね」と無愛想に褒めた。確かにそのことば自体は褒めことばであったが、その子の興味なさそうな表情が加わって、私にとってはショックだった。今まで英語が喋れるのは当たり前だったのに、急に自分は「外人」だと、あるいは「外人」と見られていることを意識し始めた。そして自分はクラスの彼女たちに「仲間」として見られていないことに気づいた。その後クラスのみんなが一緒に昼ごはんを食べに行ったときも、彼女たちはずっと高校の卒業ダンスパーティー「Prom」の話をしていたが、海外の高校に通っていてそういう経験がまったくない私はすぐ会話から外された。もちろんアメリカで出会った人たちはみんなこういう感じなわけではない。私の話をしっかり聞いてくれて、ずっと支えてくれる友だちもいた。しかし、一学期にあったこのことは私に大きく影響を与えた。今までずっと普通のことで全然意識していなかった「英語ができる中国人」という概念が急に私のアイデンティティになってしまった。

日本語については、大学に入った後に、私は初めて日本語をしゃべる友だ
ちができた。日本語の上級授業も取っていて、日本文化協会という日本人留
学生が集まるサークルにも参加したため、自分が日本語を喋れるということ
が初めて認められた気がした。そして今、私は日本に移動し、早稲田大学で
交換留学をして、日本の会社で長期インターンをやっていた。子どもの頃か
らずっと日本のテレビを観ていたし、ニューヨークでもいつも日本人の留学
生と遊んでいたので、今回の移動でアメリカの時のようなカルチャーショッ
クは一切感じなかった。いつも日本人だと思われるし、周りにも海外大生や
帰国子女などとても多様なバックグラウンドを持っている人が多いため、居
心地がとても良かった。そして、日本に来ることで、私はよく「トリリンガ
ル」と呼ばれることにもなった。しかし、アメリカの時に英語が褒められた
のとは違って、そう言った人は本気でそれに感心して、すごいと思ってくれ
ていると切実に感じる。褒められすぎて私は少し調子に乗っているのではな
いかという心配もあったが、自分の得意なことが認められ、持っているスキ
ルが重視されることより嬉しいことはない。そして言語だけではなく、友だ
ちはいつも私の海外経験について興味津々と聞いてくれる上、ごく普通のク
ラスメートやサークルの一員として接してくれた。なので私はこの一学期を
通して、やっと自分の言語力とバックグラウンドに自信を持つようになった
し、自分が受け入れられたことにも大変嬉しく感じた。
　これからも自分の言語力とバックグラウンドを受け入れてくれるところ
で、それを生かせることをしたいと、今はすごく思っている。

考察

　私の移動する経験からいくつかのことがわかる。

　空間の移動は、周りのすべてが変わることである。言語力だけではなく、
その社会のルールに対する知識やその社会のコモンセンスも求められてい
る。さもないと、ことばが通じても、心には大きな壁がある。今まで普通
だったことが普通でなくなる。環境に対する不安で自信が減る、性格が変わ
ることもあるのでしょう。

　人のアイデンティティは周りの環境によって変化する。中国にいる時は
ずっと自分と同じ人に囲まれ、自分のできることややっていることをいつ

も普通だと認識していたが、アメリカでまったくバックグラウンドやカルチャーの違う人に囲まれたことで、その違いが急にコンプレックスになり、不安になってしまう。それは自分の価値観に自信を持っていないのではないかと考えた。移動によって環境は必ず変わる、もし変わるたびにアイデンティティが揺さぶられてしまったら、大変混乱するのでしょう。

　そして、人はどんなふうに自分のことを思うのかは、周りの意見やリアクションによるものである。周りが受け入れてくれないならどう頑張っても仕方がなく、傷ついてしまう。逆にもし最初からやさしく受け入れられたら、それは最高な経験になるかもしれない。だから移動先でうまくいくためには、子ども自身の努力だけではなく、その周りの人の努力も必要なのだ。

結論と今後の課題

　移動する子どもにとって変化するのは言語だけではなく、文化と社交環境も大きく変わっている。それに備えるために、我々ができるのは言語習得の支援より他にもたくさんあると思う。子どもにその国や社会について教えるのも大事なことで、それが新しい場所に馴染むことにより役にたつ。そして一番大切なのは、自分のアイデンティティに自信を持つこと。自分は自分のままでいい、揺さぶらずに自分が正しいと思っていることをやればいいと、子どもにわかりやすく伝えたい。さらに移動する子どもたち向けだけではなく、社会の全員にダイバーシティに関する知識を教えるべきだ。彼らのリアクションは移動する子どもたちに大きく影響を与える。グローバル化が進む今の社会では、多様性に対するリスペクトを社会全体に知らせるべきである。

　移動の本当に大変なことではあるが、うまく対応ができれば貴重な経験にもなる。これから以上の三点に踏まえて、もっとうまく移動する子どもたちを支援すべきだ。

参考資料

川上郁雄・尾関史・太田裕子（2014）『日本語で学ぶ／複言語で育つ——子どものことばを考えるワークブック』くろしお出版

複言語環境で育つということ
―「移動」と「ことば」と「アイデンティティ」の相互関係―

真由 ｜ 国際教養学部２年

(1) 研究主題：３つの概念の相互関係

　グローバル化が進み移動が当たり前となった時代において、「移動させられる子どもたち」にとって、顕著に違う点は言語であると考える[19]。言語を習得しなければ、コミュニケーションを取ることもできない、学習することも不可能など生活においてとても重要な役割を担っている。また、頭の中で何かを「考える」という行為には必ず言語が付きまとう。そのため、アイデンティティの形成段階においても移動による言語の変化が重要な要素となると考えた。しかし、同時に他の要素も必ず関わってくる。移動により変化する言語、言語により形成されるアイデンティティ、移動により不安定となるアイデンティティ。このように、言語に集中しながら３つが互いにどのような影響を及ぼすかを考察したい。

(2) 問題意識：相互関係の振り幅

　では、分析概念として存在する「移動する子どもたち」の中に含まれる３つの要素、「空間的」移動、「言語間」移動、「言語教育カテゴリー間」移動の中の「空間的」と「言語間」について今回は取り上げたい[20]。しかし、その中に含まれる「移動」「言語」「アイデンティティ」の３つはどこまで互いに影響しあっているかは不明瞭だ。すべてなのか、それとも限定的に語ることができるのか。今回は授業内で使用した川上郁雄・尾関史・太田裕子（2014）により手掛けられた『日本語を学ぶ／複言語で育つ──子どものことばを考えるワークブック』に掲載されているライフストーリーを基に議論を

19　川上郁雄、2017。

20　川上郁雄、2011。

進めたい。

(3) 事例研究：マクマイケルさんの例を通して

　まずはマクマイケルさんの例を参考にする。彼はカナダで生まれたが、父親の日本文化や言語を学んでほしいという願いから一度徳島へ移住し、またカナダへ帰国した経歴の持ち主である[21]。そして、彼の言葉の中で非常に印象的な言葉がある。

　　いろいろな要素がごちゃごちゃになっていて、ものによっては「日本人的だなぁ」と思うこともあれば、「英語人的なところがあるな」という。つまり、自分の中に二人自分がいるかのような状態です。英語人の僕と、日本語人の僕と、全然異なる考え方を持った二人が共存しているような、そんな状態に常にあるんです。だからこそ、思春期の頃、アイデンティティ・クライシスというものがありました。自分は英語ネイティブな日本人なのか、日本語ネイティブなカナダ人なのか。カナダ人には日本人と言われるし、日本人にはカナダ人と言われるし、どっちにも属さない、迷える子羊みたいな状態がすごく嫌だったんです。すごく悩んで、どっちかに属したいという強い願いを持っていました。語学力も、シーソーのように、日本語が上になったり英語が上になったり、そのときの環境や何を勉強していたということでぐらぐら動いていました。それに伴い、アイデンティティもどっち寄りかに動いていました[22]。

　ここで重要なのは、彼は自身のことを「カナダ人」や「日本人」ではなく、「日本語人」や「英語人」と述べていることだ。さらに、彼は自身が引き起こしたアイデンティティ・クライシスの時の感情についても詳しく述べている。「どこにも属さない」曖昧な彼の苦しみが伝わってくる。

21　川上郁雄・尾関史・太田裕子、2014、pp. 70-71。

22　同上、pp. 71-72。

(4) 考察：密接すぎる相互関係

　マクマイケルさんの「日本語人」や「英語人」はまさしく思考や文化が言語により分かれている例だ。アイデンティティの形成においても言語は重要だ。

　　　つまり、「移動する子ども」は幼少期から複数言語の間を日々「移動」しながら、場面や状況、相手との関係性によってことばを選び出し、他者とことばをやりとりすることによりことばの意味を再度認識し、そして他者からの反応によってことばが定着していくのである。つまり、ことばは自己と他者の間に生まれてくるのである。だからこそ、その作業を通じて自己認識と他者認識が深まり、自己形成が進むのである[23]。

　言語というツールを通し他人や自己を認識するため、人間は無意識に自分が発する言語によって文化や常識を特定の国に変換させている。「日本人」や「カナダ人」という言い回しをしないのは、アイデンティティの根底に「日本語」という言語が存在すると感じるからだ。自分の中に存在する「日本」の要素は「日本語」という言語なしでは語れない。同時に「カナダ」の要素も「英語」という言語なしに語ることはできない。言語をアイデンティティの一部ととらえることはごく自然なことである。

　技術の発展により移動時間が短縮されることによって、様々な国の文化を一か所に集めることができるなど、異文化が自身の中へ容易く侵入できる環境において、自己は連続する動態的な存在である[24]。そのため、それぞれを繋げる「核」のようなものが存在しなければ自己は保持できなくなってしまう。言語とアイデンティティは「関係性によって構成される意味体系である」ため、常に更新されていき、変化しないなどありえない[25]。そこで「核」が必要となってくるのだ。マクマイケルさんのように自身のアイデンティティに悩み続けており、確固たる何かを自身の中に保持していない場合、ア

23　川上郁雄、2011。

24　高橋聡、2010。

25　高橋聡、2012。

イデンティティ・クライシスを引き起こすことがある。かといって、「核」
も成長過程で見つけていくものなので、マクマイケルさんの例を否定的に捉
えているわけではなく、そのために経験者の話などを聴くなど対処法を自身
で模索していくことが大事だと考える。

　グローバリゼーションがはびこる前は、一つの国で生涯を終えることも多
く、マクマイケルさんの例は少なかった。そのため、特定の言語とそれに付
随する文化や固定観念が「核」となることが多かった。しかし、複言語社会
においてそれは限りなく不可能に近い。英語はあらゆる場面で求められる。
そのため、国籍や言語など時代とともに形が変わるかもしれないものを「核」
にしてしまうのは極めて危険だ。

(5) 結論と今後の課題

　確かにその人を形成する文化や常識は言語そのものを通して植え付けられ
ている。しかし、他の要素もまた言語とは引き離せない。移動時間の短縮に
伴い、動態的な存在である自己を消化しにくくなっている。さらに、この多
文化社会において確固たる自身の「核」を持つことが難しくなってきてい
る。それにより、マクマイケルさんのようにアイデンティティ・クライシス
を引き起こす可能性が高く、何かしらのきっかけなくしては抜け出せなくな
る。言語はアイデンティティの根底に存在しており、移動により言語に変化
がもたらされるとそこを一から構築しなければならない。「移動」、「言語」、
「アイデンティティ」の３つの要素は相互に複雑に絡み合い、互いが互いに
見えないところで深く影響しあっている。そのため、今後この３つを切り
離して研究するのではなく、まとめて考察することが好ましい。

参考文献

川上郁雄（2011）「「移動する子どもたち」から見た日本語の力とは何か」、早稲田日本語教
　　育学、<http://hdl.handle.net/2065/31746>
川上郁雄（2017）「「移動する子ども」をめぐる研究主題とは何か──複数言語環境で成長
　　する子どもと親の記憶と語りから」、*Journal for Children Crossing Borders, 8,* 1-19.
　　<http://www.gsjal.jp/childforum/dat/jccb08-1.pdf>
川上郁雄・尾関史・太田裕子（2014）『日本語を学ぶ／複言語で育つ──子どものことばを
　　考えるワークブック』、くろしお出版、pp. 62-67、pp. 70-74.

高橋聡 (2012)「言語教育における、ことばと自己アイデンティティ」、言語文化教育研究、
　　10(2), 37-55. <http://hdl.handle.net/2065/38972>
高橋聡 (2010)「ことばと自己アイデンティティを結ぶために──日本語教育における自己
　　アイデンティティの位置づけ」、言語文化教育研究、9, 43-64. <https://core.ac.uk/
　　download/pdf/46887868.pdf#search=%27%E8%A8%80%E8%91%89+%E3%82%
　　A2%E3%82%A4%E3%83%87%E3%83%B3%E3%83%86%E3%82%A3%E3%83%86
　　%E3%82%A3%27>

課題レポート⑥

「移動する子どもたち」のアイデンティティの形成
─「同化する」ことと「重ねる」こと─

Y.T. ｜ 教育学部3年

1. はじめに

　昨今、日本においても外国籍の子どもが増加しており、文部科学省の調査によると、公立学校（小学校、中学校、高等学校、特別支援学校）に在籍する外国人児童生徒数は約7万人を推移している（2016）。この調査は日本のみを対象にしているが、この調査から外国から日本に来る児童・生徒が多く、またその子たちは日本にとどまらずまた日本から他の国へ移動していることが分かる。まさに、「移動する子どもたち」が日本にも多くいることが分かるだろう。

2. 問題意識

　本レポートでは、言語が異なる地域を移動する子どもたちがその成長過程において、「移動」からどのような影響を受けながら自己のアイデンティティを形成していくのかについて考えていく。移動することによって言葉が変わることが多いため、そのような環境の中で、「移動」と「ことば」が「アイデンティティ」にどのように関わっているのかについて述べていく。

3. 事例

本レポートでは、マクマイケルさんのライフストーリーの例をもとに論を進めていく。

マクマイケルさんはカナダ人の父親と日本人の母親のもとにカナダで生まれ、父親のマクマイケルさんに日本語や日本文化について教えたいという思いで5歳の時に徳島に移住し、5年間過ごした。徳島に移住する前は言語やアイデンティティも「英語人」だったとマクマイケルさんは述べているが、徳島滞在中にゲームを通して楽しく日本語を習得したり、徳島の中で珍しがられたりしていくうちに「日本語人」に言葉もアイデンティティもなっていたと述べられている。ところが、カナダに帰国するときになると、マクマイケルさんはほとんど英語を忘れている。カナダでは、英語を第二言語として学ぶ授業を受けたり、日本では当たり前のこともカナダでは受け入れられず、カルチャーショックに陥った。また、それから国際交流員として福島に滞在し、東日本大震災後も福島に住み現在に至っている。

4. 考察

マクマイケルさんのライフストーリーを考察するにあたり、細川（2002）の「総合活動型」の主張と共通し、高橋（2012）が述べている「固定された自己（アイデンティティ）が学ぶ対象を取り込み、吸収していくのではなく、具体的な関わり、思考（内言）と伝達（外言）による発見を通して学習者そのものが変容する過程、変容せざるを得ない状態を学びと捉えている」という主張を参考に、マクマイケルさんのアイデンティティが移動と言葉とどのように関わっているのかを考察する。

まず、始めの移動として5歳のころのカナダから日本への移住が挙げられる。この移動では、言葉の習得は母親が与えた興味が湧くものを通して行われ、日本語の習得もいつの間にか行われたとある。また、アイデンティティに関することで言うと、言葉を覚えた後は、外国人として珍しがられ、周りと仲良くでき、アイデンティティが「日本語人」となった要因でもある「スター時代」であったと明るく語られている。この時の移動と言葉とアイデンティティの関係は、カナダから日本へ移動することにより、言語は英語

を忘れて日本語に置き換わり、アイデンティティも「英語人」から「日本語人」と置き換わっていることが分かる。また、そこには本人のポジティブな気持ちが加えられている。

　次に、日本からカナダへの移動では、本人にとって英語を話せないという状況や日本を恋しく思う状態から、ESL を半年で卒業するほど英語力は付けたが、日本語力や日本が好きだという気持ちは保たれていることが分かる。本人が、自分の語学力は日本語を土台に英語が成り立っていると語っていることから、この移動と言語とアイデンティティの関係は、日本からカナダに移動することで、日本語から英語に置き換わるのではなく、日本語の土台の上に英語が構築されたり、日本語人というアイデンティティも持ちながらカナダでのアイデンティティも重ねているように考えられる。

　最後のカナダから福島への移住については、「両言語や文化を知っているからこそできる自分なりの考え方や自分の強み」に気づいたうえで、両言語、両文化の懸け橋になりたいという思いが語られている。また、このマクマイケルさん側からの要因のみでなく、福島に住み続ける理由として「私を地域の中にメンバーとして受け入れてくれた」（p. 73）ことが述べられている。自分の存在を認めてもらえたというポジティブな気持ちがここにも見受けられる。

　以上のことから、各移動において、マクマイケルさん本人にとって、アイデンティティの形成や言語の使用においてネガティブな影響を与えたものもあるが、それを乗り越えて今自分の意志で福島で生活しているという背景には、移動の時に、ある言語やアイデンティティから、もう一つの言語やアイデンティティを吸収し自分を同化させるのではなく、異なる言語やそれによって変わるアイデンティティを重ねていくことの重要性があると考えられる。移動にとって言葉が変わり、その言葉の使用においてポジティブな経験をした場合、アイデンティティは変わっていく可能性はあるが、その「変わる」の意味は、アイデンティティは同化されるのではなく、重なるように形成されているのではないだろうか。

5. 結論と今後の課題

　移動による、ある一人の子どもを取り巻く言語や環境が変わり、それによ

り自己のアイデンティティが変化していく様子がマクマイケルさんのライフストーリーから考えられ、しかしそのアイデンティティの変化は、ある一つのものだけに同化されていくのではなく、重なるように形成されることが分かった。その子にとってアイデンティティ・クライシスを乗り越えられるような自分のアイデンティティを認識するためには、周りから同化されるのではなく、自分の中で重ねていく必要がある。

　今後の課題としては、学校現場における言語教育だ。たとえば、日本語教育では現在公立学校で日本語を教える機会を与えることに精一杯になっており、「その子が持っている日本以外でのアイデンティティを保つ」ということがどれだけ考えられているか疑問である。外国籍の子に対して、単純に言語を教えるという支援だけでなく、その子のライフストーリーを辿って、その子にしかない言語やアイデンティティを重ねる支援が必要であると考える。

参考文献

川上郁雄・尾関史・太田裕子（2014）『日本語を学ぶ／複言語で育つ——子どものことばを考えるワークブック』くろしお出版

高橋聡（2012）「ことばと自己アイデンティティを結ぶために——日本語教育における自己アイデンティティの位置づけ」『言語文化教育研究』10, 37-55.

細川英雄（2002）『日本語教育は何をめざすか——言語文化活動の理論と実践』明石書店

文部科学省（2016）「外国人児童生徒等に対する教育支援に関する基礎資料」https://www.mext.go.jp/b_menu/shingi/chousa/shotou/121/shiryo/__icsFiles/afieldfile/2016/03/08/1366441_05_1.pdf（閲覧日：2019年7月29日）

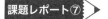
「移動する子ども」とは特別な存在なのか
─共通点を探すという視点から─

松原直輝 ｜ 政治経済学部 1 年

1. 本レポートの狙い

　複言語の環境で育つ子どもの多くは、アイデンティティに対する悩みを抱えている。川上他（2014）で紹介されているライフストーリーでは語り手の三者ともが既存の国籍などの括りに違和感を覚えるという結論に達したようである。しかし、1 つ生じる疑問は、こういった悩みは、複言語の環境で育つ子ども特有のものなのだろうか。つまり、移動を経験していない、あるいは単言語の環境で育った思春期の青年も同様に経験するものではないのであろうか。

　おそらく、こういった「結局みんなと同じではないか」という括りに対し、強い反発を覚える人もいるであろう。もしかすれば、複言語の環境で育った方々には「同じなわけがない」と怒られてしまうかもしれない。確かに、乱暴な「一括り」という側面がゼロではない。経験の中で、「○○人である・でない」「○○語を話す・話さない」ということに敏感になっている子どもたちにとって、この「一括り」は人格の否定にも見える。しかし、その壮絶さに目を奪われすぎてしまい、差異が強調されすぎるのも問題である。「何に差異があるのか」ということに注目すると同時に、軽視されがちである「何が共通であるのか」を、客観的に見ながら判断することが学問の姿勢としては必要である。

　本レポートでは「差異」を主に講義で扱ってきたので、何が同じであるのかに注目し論じることにする。また、その「同じ」の中に、どんな差異があるのかということを検証する。

2. 具体的事例から

　アイデンティティについて悩むことは、環境に依存するものではない。思

春期に「自分とは何者か」と悩む若者は、単言語の環境で育つとしても少なくはない。例えば、新しい集団・環境に入れば自己紹介が必要になり「他人との違い」を多かれ少なかれ考える必要がある。限られた時間・空間の中で、自分とは何かを紹介するときには「自分が何者か」を伝える第一優先のものを、自分で切り出す必要がある（私の経験であるが、こういう時に外国に住んでた経験があるとか便利だよなあと思うことさえある）。この「自分とは何者か」という問いに、NAM、マクマイケル、陳の三人誰もが経験し、ライフストーリーで触れている。

　では、この悩みに対してそれぞれどのような結論に達したといえるのだろうか。NAM は、ベトナムにルーツを探しに戻りベトナム語を学んだ。そして、日本ではベトナム人といわれ、ベトナムでは日本人と言われることへの葛藤を語っている。マクマイケルは、「要はカナダと日本の両方に属している」と語っている。陳もまた、同様に「日本人」という括りに違和感を感じている（川上他、2014：p. 62-89）。これら達した結論には「単言語環境で移動をしない子どもたち」が達した結論と、類似点と相違点が見られる。先に明白である、相違点について述べておく。これは国籍や言語（例えば「私は○○語を話すが、○○人なのか」など）に関する点にある。「単言語環境で移動をしない子どもたち」では、こういった悩みが生じ得ない。逆に共通する点は、結局の答えが「自分とは自分である」という結論以外に達し得ないということにある。トムソン華さんの言葉を借りれば「私はハナ人」という言葉に近いだろうか。たとえば、プロ野球選手でも「自分は野球人」という言葉だけでは語れない（最近では野球人という言葉が市民権を得つつあり、一つの成り立つ言葉にもなっている気もするが）。一つの括りでは自分を語れるものがない以上、結果的に「自分＝自分」以外に説明の方法はない。ここでいう「自分＝自分」の自分とは、確立され、固定されたものであるという必要もなければ、「今」という瞬間の自分である必要もない。「子どもから成人、そして老人まで、アイデンティティ形成に終わりはない」（川上他、2014：p. 31）と指摘されるように、時間と空間の移動に伴って変化するものである。

3. 考察

2.の具体的事例から、考察の対象を（1）「自分とは何者か」という悩みを抱く過程と（2）その悩みに対する結論について考察する。まず（1）についていえば、悩みを抱くこと自体は同じであっても、その過程に差異が見られる。NAM、マクマイケル、陳の三人のライフストーリーを読む中では「自分が普通と違う」という感覚が、悩みの発端にあるようだ。これは、おそらく言語であったり、肌の色であったり、そういった外見的なものから、周りの人たち（主に子どもたち）が本人に「普通とは違う」という感覚を抱かせるからと想像する。ただし、この考え方については「単言語環境で移動をしない子どもたち」と類似する点も見られる。それは、後者の子どもたちも「自分も、もしかすると普通とは違うのでは？」という疑問を持ちながら生活をしていることである（だからこそ、外見的に異なる子どもへの「あなたは普通ではないよね？」という確認につながる）。確かに、複言語環境で育つ、あるいは移動する子どもは、「自分とは何者か」という悩みを抱える過程に差異はあるかもしれないが、程度問題であるという考え方もできる。

つぎに（2）について述べる。達する結論についても、（2-1）国籍や言語といった括りを悩みに抱えるかは異なるが、（2-2）「自分＝自分」以外に落とし所がないことは共通している。共通している理由は、図1にあげるように、どんな人であっても自分の中には複数の自分を抱えており（複数性）、何かの括りによって括り切れないものがでてきてしまうことは共通だからである。

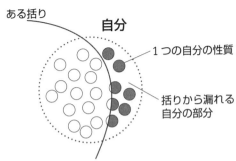

図1　自分は多孔的な括りの中に、複数の自分をもつ。その自分に1つの
　　　括りを入れようとすれば必ず漏れる部分が出てしまう。

ライフストーリーの語り手の三人とも、この「括り」に対する葛藤を抱える。ただし、それは他の人にも当てはまる。大きな差異は（2-1）にある通り、この葛藤に国籍や言語といった大きな括りがあることだ。確かに、この「大きな」葛藤は「単言語環境で移動をしない子どもたち」には当てはまらないかもしれない。しかし、具体的に例をあげるのであれば、「日本とアメリカ」「東京と横浜」には、どれだけの差異があるのだろうか。差異があることは間違いないのだが、同軸上で扱うことができる程度問題とは考えられないのだろうか。この捉え方については、できるという立場と、できないという双方の立場から述べることが可能である。できるという立場から述べるとすれば、移動の距離という問題であり、ルーツが複数にあることは共通であり、そして殆どの人が移動（移住よりも広い物理的移動）なく生活をしていない以上、同様に考えることができるといえる。逆にできないという立場から述べるのであれば、現在の国際情勢を考えれば、法律や制度が異なり、そしてメンバーシップとしての国籍が異なるから、一緒に考えることはできないと捉える。そして、このどちらの立場に立つかどうか、というのは各々の経験に依存している。ライフストーリーの語り手の三人は、後者の立場にたっていることは明らかである。制度上の問題であったり、あるいは今までの経験（周りからの質問など）ということが深く関係していると想定される。

　最後に「複言語環境で育つ、あるいは移動する子ども」という括りについて述べたい。川上（2017）によれば、「移動」の捉え方が以前の研究では「日本の日本という国に住んでいる、子どもを取り囲む大人たちの視点が定住者側からの捉え方」であったと指摘する。つまり「日本国内に定住・適応するための実践研究という発想が主流」であったということにある（川上、2017）。それゆえ、この括りは、「移動する子ども」それ自体の視点やアイデンティティ形成に光を当てることに成功している。しかし、同時に、この括りでは「移動する子ども」の壮絶な経験には目がいくのだが、彼らの経験を無視しないように結論を出そうとすれば「移動」「ことば」「アイデンティティ」の関係とは「人それぞれである」という在り来たりの結論しか導けなくなってしまう。それゆえ、この括りについては括りの中での分析よりも、この括りと他の括りとの対比によって、新たな考え方や視点がうまれるので

はないかと感じる。

4. 結論と今後の課題

われわれは「括り」から逃れて生きることはできない。括りというものを否定すれば、一人一人の複数性を考えれば、その認知的なコストは莫大になる。具体例を挙げるのであれば、「ある病気の患者」という括りである。彼らは病状もそれぞれであり、事情もそれぞれである。しかし、何か行動をする、あるいは行動の対象となる時点で「ある程度」の括りを受けねばならない。もちろん、認知的なコストを理由とした安易な「括り」は危険である。また、ステレオタイプに繋がってしまう可能性もあるため、括り「それ自体」には注意を払わねばならない。

アイデンティティと括りの問題は、これとも深く関わってくる。自己の経験が壮絶になればなるほど、括りを嫌うことは間違いない。どんなに本人が差別意識をもっていないとしても、ユダヤ人学者がパレスチナ人に対し何か言及すれば、それは世界から必ず一つの括りの中で見られることになる。そういった背景から、私は今後の課題は「認知的コストと個のバランスをどのようにとるか」ということであると感じる。川上先生からは、この問題は一人一人が認識枠をどうとるかという課題とアドバイスをいただいた（先生からいただいたアドバイスの引用の形がわからなかったので、このように書きました）。さらに考えるとすれば、この一人一人の認識枠を、より離散的から連続的に向けるということが課題ではないかと考える。つまり、確かに「複言語環境で、移動する子ども」というのは少数かもしれないが、同じ・異なるの二分法で分け切れるほど単純なものではない。上に議論したように十分共通性が見出せる。そのためには、一人一人が離散的ではない連続的な認識を進めていくことが大切なのではないか。

この個人の認識枠を改めていくということは、簡単ではないことも指摘しておきたい。単純に能力的な限界があるという点である。個々の能力差はもちろんのこと、三者のライフストーリーに見たように、幼少期の周りの子どもの認識枠というものがアイデンティティ形成には大きく関わる。子どもに「連続的な」認識枠を作ることなど、そうそうできることではない以上、簡単にできることではない。それゆえ、子ども同士での関係性をどう結んでい

くのか、というのも大きな課題である。

5. 参考文献

川上郁雄・尾関史・太田裕子（2014）「日本語を学ぶ／複言語で育つ——子どものことばを考えるワークブック」くろしお出版　pp. 28-31, pp. 62-89.

川上郁雄（2017）「「移動する子ども」をめぐる研究主題とは何か——複数言語環境で成長する子どもと親の記憶と語りから」『ジャーナル「移動する子どもたち」——ことばの教育を創発する』8, 1-19.

川上郁雄（2012）「「移動する子ども」の壮大な家族史——一青妙（著）『私の箱子』講談社, 2012年」『ジャーナル「移動する子どもたち」——ことばの教育を創発する』3, 121-127.

課題レポート⑧

固定するべきではない、アイデンティティの流動性

N.N. ｜ 国際教養学部

1. 研究主題

　移動する子どものアイデンティティを形成する因子はことば、移動の経験、など様々だ。子どものアイデンティティを形成するこれらの因子は子どもの成長と共にどう変化していくのか、子どもにとってどのような影響を与えるかについて考える。

2. 問題意識

　テクノロジーの進化などにより、現在は移動がしやすい時代である。その結果、親に連れられ幼いうちから様々な移動を経験している子どもが多くいる。そういった子どもたちが生活する環境、複言語環境で育った子どもたちにとっては「移動」と「ことば」はそれぞれのアイデンティティ形成にどのような影響を与えるのか、『日本語を学ぶ／複言語で育つ——子どものことばを考えるワークブック』にある NAM、マクマイケル、陳のライフストーリーを例に考える。

3. 事例研究

　『日本語を学ぶ／複言語で育つ——子どものことばを考えるワークブック』には複言語環境で育った NAM、マクマイケル、陳の 3 人のライフストーリーが掲載されている。それぞれのライフストーリーにはそれぞれのアイデンティティ形成に影響した「ことば」と「移動」について詳しく書かれている。

　まず NAM のライフストーリーにはベトナムから難民として来日してきた両親のもとに生まれたことが書かれている。幼少期は主に家族とベトナム語で会話をし、保育所では日本語を使用していたことが明かされている。成長していくにつれ、周りから奇異の目を向けられるのを避けるためにベトナム語ではなく日本語を使用することになり、小学生の頃には「ベトナム語、嫌や」と思うようになったと述べられている。その後、NAM は親に言われてベトナム語の教室に週に 1 回の頻度で通うものの、日本語の方がすぐに返事もできるため、ベトナム語を面倒くさいものとして捉えるようになる。また NAM は中学生では NAM から日本名のショウを使うようになるが、高校に上がってからラップに出会い、自分のルーツを歌にすることを決意する。自分のルーツを歌にすることから、自分のルーツについて改めて考えた NAM はその後ベトナムへの留学を経験し、ベトナム人でもあり、日本人でもある自分を受け入れるようになる（川上・尾関・太田：62-67）。

　次はカナダ人の父、日本人の母のもと、カナダで生まれ、5 歳の時に来日し、その 3 年後カナダへ帰国し、カナダで成長したマクマイケルのライフストーリーが書かれている。マクマイケルのライフストーリーには、最初に来日した時は日本語を話せず、マンガやゲーム、新渡戸稲造に関する書物から日本語を楽しく勉強したことが明かされている。しかし、再びカナダに移動してからはマクマイケルは英語を喋れなくなってしまっていて、英語を「学習するもの」として認識し、日本に帰りたいと思い、アイデンティティ・クライシスを経験する。そんなアイデンティティ・クライシスを解消したものはイヌイットのことばであると、述べられている。そこで両言語、両文化を知ることで様々な視点から物事を捉えられることができることに気づき、それを発信するために成長してから再び日本に滞在することになる（川上・

尾関・太田：70-74）。

　最後に陳のライフストーリーには中国本土から台湾を経て日本に来日してきた両親のもと横浜の中華街に生まれたことが書かれている。家では両親の使用する中国語を使用し、幼少期にはインターの幼稚園と日本の幼稚園の両方に通い、文化の違いを痛感したと語っている。また、小学校を受験する時には国籍の問題で入学できなかったことや両親の思想の関係などから台湾系の中華学校へ通うことになり、学校では日本語や中国語が混ざる「ちゃんぽん語」を使用したり、家の外では日本語を使用するなど、環境によって使用する言語を変えていたことが明かされている。そんな中で、「日本が大嫌い」だったり、「Chinese が大嫌い」だと思ったこともあったが、成長と共に、なんでもひと括りにすることが間違っているということに気づいたと書かれている（川上・尾関・太田：80-83）。

4. 考察

　3 人のライフストーリーにはいくつかの共通点がある。まず一つは全員が自ら望んで複言語環境に育ったわけではないことだ。次にそれぞれの使用する複数の言語に対する意識が成長と共に変化している点である。

　まず NAM は幼少期にはベトナム語を嫌だと思っていた時期があったと語る。ライフストーリーの中でも、「友だちが『え、変ちゃう』『何しゃべっとん？』（中略）そういうのを聞かれるのがメッチャ嫌やった（中略）で、日本語でしゃべっても片言やし、友だちが『おい片言やん、おかしいな』って言って。そのときぐらいから、もう『ベトナム語、嫌や』と思って。」とある（川上・尾関・太田：62-63）。このことから、周りの人の態度、評価から移動する子どもの言語に対する意識や態度が生まれていくことがわかる。NAM の場合は周りから奇異の目を向けられたことや周りにいるほかの子どもたちと同等に接してもらえなかったことからベトナム語を嫌だと思うようになったことがわかる。そのため、周りと同等に接してもらえるように、名前を NAM ではなく日本名のショウを中学の頃から使い始め、ベトナム人であることを隠し始めたのではないかと考えられる。しかし、ベトナム語に対する意識はラップという自分を表現できるものと出会うことで変わる。自分のルーツを歌にすることによって、周りから「これ、おもろいやん。こ

れ、勝てる歌詞ないで」と言われたことにより、ベトナム人でもあり、日本人でもある自分を自分自身で認めることができるようになったのだと考える（川上・尾関・太田：67）。このように自分自身を認めることで、ベトナム語でラップをしたり、ベトナムに関係するイベントに出たいと思うようになるなど、ベトナム語やベトナム人としてのアイデンティティに対する意識・態度も変わったのだ。

　またマクマイケルについても同様で、5歳の時に来日し、徳島県での生活をしていた時期は「すごく珍しがられて、みなさん仲良くしてくださいました。（中略）このような環境にいましたので、日本が大好きになりましたし、言語もアイデンティティもすっかり『日本人』になっていきました」とある（川上・尾関・太田：71）。日本が好きだ、日本人である、というアイデンティティが生まれたのは周囲から温かく接してもらい、日本を自分の居場所だと本人が考えられたためだと考える。しかし、カナダに帰国し、英語を学んでいる時には英語を「学習するもの」と捉えたり、文化の違いから周りに笑われたりしたことから、英語と日本語では意識が違うことがわかる。またそれに伴い、思春期の頃には自分が英語を話せる日本人なのか、日本語を話せるカナダ人なのかに悩み、アイデンティティ・クライシスを経験したという。しかし、このアイデンティティ・クライシスもイヌイットのことばに出会い、「いろいろな言語を知っているということは、いろんなものの見方ができて、すごくお得なんじゃないか」と考えを改めることによって解消したとある（川上・尾関・太田：72）。このことからも成長過程や移動によって得たことばに対する意識が変化していることがわかる。自分自身の経験を振り返り、その時々の考え方や周りの環境などによって自分のアイデンティティは少しずつ変化しているのだ。

　陳のライフストーリーからも同じことが言える。陳のライフストーリーには「日本人の事会話をしていて変な表現があるとよく笑われました。大学の時も、私の日本語が変だとよく笑われました」とある（川上・尾関・太田：82）。また、自分のアイデンティティについて考えたとき、「法的に無国籍、しかし民族的にはChineseなので、いったい自分の所属はどこなのかと思うようになりました。自分をどの角度で見るのか、誰に見られているのかによって、アイデンティティは変わると感じました」とある（川上・

尾関・太田：83）。また更には「私自身、日本が大嫌いな時期もありました
し、Chinese が大嫌いなときもありました」と述べられている（川上・尾
関・太田：83）。しかし、この各言語に対する意識は留学などを経験し、「ア
メリカに行ったら（中略）だんだんと中国、台湾、日本、アメリカを客観視
できるようになりました。（中略）自分を認めてくれる人がいることが大切
だったと思います」とある（川上・尾関・太田：83-84）。このように、成長
し、様々な体験をすることによって考え方が変化し、ことばに対する意識や
アイデンティティが少しずつ変化していることがわかる。

5. 結論と今後の課題

　3人のライフストーリーを比較しても、それぞれ成長と共にことばに対す
る意識や自分自身のアイデンティティが少しずつ変化していっていることが
わかる。このことから、移動をし、複言語の環境の中で育つ子どもにとって
自分の出生地がここだから、◯◯人である、などといった固定的なアイデン
ティティ形成は当てはまらず、アイデンティティとはもっと流動的なものだ
と考えられる。それぞれの暮らしてきた環境、周囲の人の言動や行動、経験
してきたことについてどのように考えるのか、これらすべてが移動する子ど
もや複言語環境の中で成長した人のアイデンティティを形成していくものだ
と考える。そのため移動する子どもには話す言語、国籍、出生地などから固
定的なアイデンティティ形成を促すのではなく、より流動的で自由な型には
まらないアイデンティティ形成を手助けする必要があると考える。そのため
の課題としては、複言語環境で育つ子どもがどのような壁にぶつかっている
のか、どのように自身のアイデンティティを形成しているのか、周りの認知
を広める必要があると考える。自分とはまったく異なる経験をした子どもと
どのように接していいのか悩むことも多いと思うが、固定概念などに囚われ
ず、一人一人の子どもとしっかり向き合い、時には国籍などに囚われる必要
がないことを教え、子どもが伸び伸びと成長しアイデンティティを形成して
いけるようにしていくのが、移動する子どもが増えた社会で生活している私
たちに求められていることではないかと考える。

参考文献

川上郁雄・尾関史・太田裕子（2014）『日本語を学ぶ／複言語で育つ――子どものことばを
　考えるワークブック』くろしお出版

> 課題レポート⑨

「移動」と「ことば」がもたらす「アイデンティティ・クライシス」

T.Y. ｜ 政治経済学部 2 年

〈イントロダクション〉

　現代を『移民の時代』と表現することがあるように、現代社会において国
間の移動は珍しいことではなくなってきました。労働、移住、留学、旅行等
さまざまな理由から海外で暮らす人口も増え、それに伴い複数言語環境で成
長した人の数も増加しています。実際私自身も『移動する子ども』でした
し、私の友人の多くも移動した経験を持っています。

　しかしながら、いくら複数言語環境で成長した人の数が増えたといえど、
それは世間一般からするとあくまでマイノリティの存在で、移動したことの
ない、所謂『定住者』、『純ジャパ』からしてみると、複数言語環境下で育っ
た子どもたちは珍しい存在で、『帰国子女』や『ハーフ・クォーター』など、
『純ジャパ』とは別枠としてカテゴライズする傾向にあるのが現状です。そ
のなかで、こうした移動したことのある方のほとんどが少なくとも一度は
『自分は何者か』、『これから自分はどう生きていくべきか』というようなア
イデンティティ面での悩みに直面する、またはしたことがあると思います。

　今回のレポートでは、私のライフストーリーをもとに、私が複言語環境で
成長する中でどのようなタイミングでアイデンティティ・クライシスを経験
したか、また、そのアイデンティティ・クライシスを経験した背景に『移
動』と『ことば』はどのように関わってきたのかを考察することで、『移動』
と『ことば』と『アイデンティティ』がどのような関係にあるのかを私なり
に考えていきたいと思います。

〈私のライフストーリーとアイデンティティ・クライシス〉

　私は日本人の父と中国人の母の元日本で生まれました。しかし、私の母親が日本語をネイティブに近いレベルで喋れたため、生まれてからしばらくは日本語しか使わない環境にいて、中国の文化や歴史等にも触れる機会がなかったため、血統的に"ハーフ"であるということを除いては中国の要素はない、私のアイデンティティは完全に"日本人"として形成されていたと思います。

　そんな私にとっての最初の転機は、小学校1年生の時に親の仕事の都合で中国の上海に移動したことです。日本人学校に転入したため、言語面で悩むことはほとんどなかったのですが、上海に移動したことは複言語社会で育つ最初のきっかけになりました。また、大きな転機になったのは小学校を卒業した後、現地のインターナショナルスクールに転校したことです。中国上海にあるインターナショナルスクールに通ったことで、授業は英語で、同級生との会話は中国語が中心、家庭内や日本人の友人との会話は日本語で、という3ヶ国語を扱う複言語環境で生活を送るようになりました。現在は早稲田大学政治経済学部の英語学位プログラムという授業が英語を中心に行われるプログラムに在籍しているため、今も日本語と英語を主に使う複言語環境で生活をしています。

　そんな私が最初にアイデンティティ・クライシスを経験したのは小学校高学年の頃です。上海に引っ越した当初まったく中国語が喋れなかった私は、現地の日本人学校に転入し、小学校6年間を過ごしました。週一回の中国語の授業や中国の文化について学ぶ機会はあったものの、会話はすべて日本語で、外出し現地の方と交流をするような機会もほとんどなかったため、中国語はそこまで上達しませんでした。そんな中で私は、友人からの『なんでハーフなのに中国語下手なの？』という何気無い一言により自身の持つ"ハーフ"という要素に悩むようになりました。確かに日本人学校に通っていた日本と中国のハーフの学生のほとんどが中国語をとても流暢に話し、中国語の方が日本語より得意という生徒もたくさんいたため、なんで自分も同じハーフなのに中国語が喋れないのだろう、と思うようになりました。友人からのその一言があり、私は中国語を今まで以上に頑張って勉強するように

なりました。私自身も"ハーフなら父母の母語両方を話せて当然。"という思い込みや固定概念、また、"ハーフ"という言葉に含まれている"ハーフの人のあるべき姿"というようなものに縛られていたのだと思います。

　このアイデンティティ・クライシスが解消されるきっかけになったのはインターナショナルスクールに転校し、さまざまな生徒と交流する機会を得たことです。インターナショナルスクールという学校の性質上、生徒は全員移動してきた子どもたちでした。そこでは、私のようにハーフではあるけれどもどちらか1つの言語しか使用してこなかった子ども、1つの言語しか使用してこなかったために両親どちらかの親族と会話することが出来ないという子ども、それとは反対に、家庭内で複数言語を混ぜながらコミュニケーションを取っている子どもなど、それぞれの子どもがそれぞれの方法でコミュニケーションを取っていて、それぞれが自分なりのアイデンティティを確立していました。また、すべての生徒が他の生徒の環境を否定することはなく、すべて受け入れている空間でした。私の置かれている境遇や環境を共有・理解してくれる友人に囲まれたことで、私自身これでいいんだ、私は私のペースで言語を習得していけばいいし、中国とのハーフだからといって中国語が絶対流暢に喋れなくてはいけないという訳でもなく、私は私なりのアイデンティティを形成すればいい、と思うようになりました。それからは、今まで習得しなければならない、というような義務感にかられていた中国語の勉強も楽しくできるようになり、またそれにともない、中国の文化や歴史も楽しみながら学べるようになりました。今では中国語もそれなりに喋れるようになり、日本と中国、両方の側面を持つ自分なりのアイデンティティを形成出来ていると感じています。

　日本に帰国した今、"帰国子女"というひとつのカテゴリーで括られることが多くなりました。『英語が出来るのって帰国子女だからなのか！納得！』、『帰国子女って前髪つくらないよね！』、『12年も海外に住んでいた帰国子女なのに日本語上手いね！』など、私自身の性格や特徴を"帰国子女"という1つのワードで片付けられることが多く、今でも"帰国子女"という言葉の縛りに悩むことがあります。しかし、インターナショナルスクールで知り合った多様な学生がそれぞれ持っていたアイデンティティや価値観を吸収したことで、アイデンティティ面で深く傷つくようなことはなくなり、帰国

子女というカテゴライズをされても、確かに今私が自分なりのアイデンティティを形成出来ているのも中国に、そしてインターナショナルスクールに"移動"したことが深く関わっていて、それもあながち間違ってはいない、と笑って聞き流せるようになったと感じています。

〈結論と課題〉

　私はこれまで自身のライフストーリーから"ことば"と"移動"がどのように"アイデンティティ"に関わっているかについて述べてきました。私は移動したことで言葉を習得しようと思い、移動したことで私なりのアイデンティティが形成され、自身のアイデンティティを語る上で、もちろん"移動"と"ことば"という2つの要素が私のすべてのアイデンティティの形成要因ではありませんが、英語と中国語と日本語という3つの言語と、上海、そしてインターナショナルスクールに移動した経験は必要不可欠なものだと感じています。

　これから先の人生でも"ハーフ"、"帰国子女"という分類方法で私のアイデンティティを判断されることは多々あるだろうし、私自身もある方に初めて会った時に、国籍や移動経験などでその人を判断してしまうことはあるかもしれません。しかし、多数の移動する子どもたちが日本中に、そして世界中にいる中、1つの単語やキーワードのみでその人のアイデンティティを決めつけてしまうのはとても危険で、ナンセンスだと考えています。また、こうしたアイデンティティの縛り付けは、分類している側からすると何気無い一言で、まったく悪気のない一言だったとしても、その一言によって相手を傷つけ、悩ませてしまう可能性が少なからずあると感じています。複数言語社会で暮らしている人が増えている今、多様なアイデンティティを決めつけたり否定したりすることなく、受け入れていくことが大切だと感じています。

〈参考文献〉

川上郁雄（2010）「「移動する子どもたち」のことばの教育学とは何か」『ジャーナル「移動する子どもたち」──ことばの教育を創発する』1, 1-21.
川上郁雄（2012）「「移動する子ども」の壮大な家族史──一青妙（著）『私の箱子』講談社.

2012年」『ジャーナル「移動する子どもたち」――ことばの教育を創発する』3, 121-127.

川上郁雄（編）（2009）『海の向こうの「移動する子どもたち」と日本語教育――動態性の年少者日本語教育学』明石書店

川上郁雄・尾関史・太田裕子（2014）『日本語で学ぶ／複言語で育つ――子どものことばを考えるワークブック』くろしお出版

課題レポート⑩

複言語社会を知る

A.I. ｜ 政治経済学部 1 年

1. 研究主題

　自分自身が複言語環境で成長したことをもとに、自分にとって「移動」と「ことば」と「アイデンティティ」はどのような関係にあるのか、具体的な例を挙げながら考察していく。

2. 問題意識

　自分は計 3 回の移動を経験してきた。その都度使用することばは異なっており、またそれに伴って自身のアイデンティティも大きな影響を受けた。それらの経験から、今回の課題について議論していく。具体的な例としては 1 回目の「移動」に伴う「ことば」の変化、2 回目の「移動」にともなう「ことば」の変化と自身の「アイデンティティ」の混乱、そして 3 回目の「移動」にともなう「ことば」「アイデンティティ」の変化とそれまでの「移動」との違いを挙げる。

3. 事例研究

（1）1 回目の「移動」

　1 回目の「移動」はアメリカから日本への移動である。私はその時 3 歳で、アメリカの幼稚園に通っていた。両親とは日本語で喋っていたが、両親以外の人間とは日本語ではなく英語で会話していた。どうも私の頭の中では日本

語は家で話すものであり、幼稚園などは英語で話すものと無意識にインプットされていたようだ。よって1回目の「移動」が起こったあと、私は「ことば」に関して大きな変化を経験することとなった。日本に帰国したのち、私は日本の幼稚園に通うことになったのだ。しかしアメリカの頃とは無論異なり、幼稚園での公用語は日本語である。私はそこで初めて両親以外と日本語で話すことを学んだ。入園当初は沈黙期間であったらしく、先生と両親に幼稚園で一言も話さないことを心配される日々が暫く続いた。3ヵ月ほど経ち、私は日本語を幼稚園でも発することができた。これが1回目の「移動」に伴う「ことば」の変化である。「アイデンティティ」に関してはその頃はまだ考えていなかったため、ここでは取り扱わない。

(2) 2回目の「移動」

　2回目の「移動」は10歳の時、日本からアメリカへの移動だった。もう既に3歳までのアメリカ滞在で培われていた英語は跡形もなく、日本語しか話せず、日本の公立小学校に通っていた。しかしアメリカに移動し、現地校に入学した際は「ことば」の面でも「アイデンティティ」の面でも変化が起こった。まず「ことば」は日常的に使う言語が日本語から英語へと変わり、昔話せたはずの言語をまた一から学ぶことになった。ESL という、英語を第二言語として学んでいる人が入るクラスに編入し、アルファベットの書き方から学んだ。加えて、それまでは考えたことすらなかった「日本人としての自分」を意識させられた。つまり「アイデンティティ」の変化である。日本語を教えてほしい、日本の文化を教えてほしい、等様々なことを新しくできた友人らには求められた。自身は特にそれを不満に思ったことはなかったが、「日本人としての自分を求められている」ということを強く感じた。ここで初めて自分のアイデンティティというものに向き合った。

(3) 3回目の「移動」

　3回目の「移動」は日本への本帰国、15歳の冬だった。既に英語を話すことに抵抗はなく、また、だからと言って日本語を疎かにもしていなかったのでこれから起こる「ことば」の変化に対しては心構えが比較的出来ていた。日本に帰国した後もインターナショナルのような中高一貫校に編入した

ためか、予想していた通り心は乱れなかった。学校の公用語は日本語であったので確かに「ことば」の変化は起こっていたのだが、自分自身にとってはあまり大きな変化とは捉えられなかった。そして「アイデンティティ」の問題も同様だ。アメリカの滞在時に自身の日本人・アメリカ人としての両方の「アイデンティティ」を確立していたため、帰国後も揺らぐことはなかった。無論「アイデンティティ」は経験の中で変化する流動的なものの為、3回目の「移動」後からも変化しているが、その変化をおおらかに受け止めることができており、安定している。これは1回目や2回目の「移動」では見られなかったことである。

4. 考察

　以上の経験より、「移動」を繰り返す子どもであればあるほど、「移動」、「ことば」そして「アイデンティティ」の関係性を自分自身で考え、確立していくことが可能になると考えられる。自身は1回目と2回目の「移動」ではまだ慣れていなかった為、それに伴う「ことば」と「アイデンティティ」の変化に上手く対応するまで時間がかかった。しかし3回目の「移動」では「ことば」と「アイデンティティ」の変化をありのまま受け入れ、素早く順応することに成功した。

5. 結論と今後の課題

　「移動」「ことば」「アイデンティティ」の関係性は必ずしも一つではない。その人がどの国で、どのような環境で、どのような期間過ごしてきたのかによって異なる。またそれらが一致していたとしても、まったく同じ考えに辿り着くのは稀だろう。それら3つの関係性に模範解答はない。今後の課題としては、自身と同じように、複数言語環境で成長した人と一人でも多く交流し、多種多様な意見に耳を傾けることが挙げられる。自分とはまったく異なる視点の考え方に触れることで、狭量な視点に縛られず、常に視野を広げていくことができるからだ。

6. 参考文献

川上郁雄・尾関史・太田裕子　2014年　『日本語を学ぶ／複言語で育つ——子どものことば

課題レポート⑪

韓国 or 日本。私は何人？

キム ハヨン ｜ 教育学部 1 年

1 〈研究主題〉

「移動」と「ことば」と「アイデンティティ」はどのような関係性を持つのだろう。私は「移動」と「ことば」、そして「ことば」と「アイデンティティ」。この二つの関係がアイデンティティの形成に影響を与えると考える。特に移動（環境的要因）は言語能力に影響を与える。そして言語と社会は社会的・文化的にアイデンティティ形成に影響を与えると思う。

2 〈問題意識〉

「移動」を視点に「移動する子どもたち」の言葉は普段2つで、一つは親の言語である母語、そして一つは自分が属している環境の国の言葉である。使用する言葉が2つであることは子どもが2つのアイデンティティを形成するということである。それくらい言語はアイデンティティに影響を与える。言語によって作られた2つのアイデンティティは混ぜられて新たな1つのアイデンティティになる。移動する子どもたちのアイデンティティはこの過程を経て形成するのではないか。

3 〈自分のライフストーリー〉

私は韓国生まれで、韓国で幼稚園、小学校を卒業して中学1年生の頃に日本に来た。日本では高校を卒業するまでずっと「東京韓国学校」という韓国人学校へ通った。韓国学校には班が韓国の大学向けか（K班）日本の大学向けか（J班）によって二つに分けていて、韓国大学向けの子は韓国の教科書で、日本大学向けの子は日本の教科書で勉強をする。もちろん、K班には韓国からきたばかりの在留者が、J班には日本で生まれて日本語で育て

られた在日やハーフの子が圧倒的に多い。私は中1から高1まではK班で、高校2年生のとき進路を日本の大学に変えJ班に移した。日本語も同じだ。K班にいるときはみんなと話がつながり、しいて日本語を勉強する必要がなかった。そこで私は高校1年生まではそこまで日本語を喋れる人ではなかった。高校2年生に本格的にJ班生活をしながら日本語をもう一度学んだ。友達に対する日本語、大人に対する日本語、教科書で学ぶ日本語などさまざまな分野に関する日本語を学ぶことができた。日本語を学びながら日本の文化を学習し、社会的な部分を学び始めた。若者言葉や習慣などが身についた。日本の芸能を見て笑うことができるようになり、日本の芸能人のスタイルにも興味が生じた。

　私は日本人を会うとみんなから「韓国人ぽい」といわれるか「韓国人なの？」と聞かれる。確かに私の日本語実力や発音、スタイルなどを見ると韓国人ぽい。私は日本で7年間住みながら一回も私が日本人ぽいと考えたことがない。なのに、韓国に行って現地の友だちに会うとみんな「ハヨンもう日本人になっちゃったね」という。メイクもスタイルも性格も日本人ぽいといわれるのだ。

　最初はすごくショックだった。私は何人であるのか悩んだこともある。自分を完全に韓国人であると考えてきた人が韓国人としてのアイデンティティを否定されたときのショックは話にすることができないくらいだった。友だちはスタイルもそうではあるが、性格がすごく変わったといった。私は自分の性格が変わったことについて少しは感じたがそこまで深く考えたことがない。だが確かに初めて日本に来た時にはすべてのことが不満で不便だったのに、どんどん住みながら日本が楽になった。時々韓国に行ってくるときにも前は故郷にきた気分であったら、今は観光をしに来た感じが強くて逆に韓国の文化や習慣、人々の行動に驚くときがある。韓国が不便であると感じるときもあるのだ。このような変化を見ると確かに私は「日本人化」したのではないかと考える。以前の不満が自然なことになり、以前の自然な行動が新しく見えるようになったのだ。

　このようなことを見ると環境的なこと、移動は人々の言語能力に影響を与える。そして言語能力は人々が他国の社会に入る機会を提供する。他国の社会に入り込んだ人々は様々な文化や習慣などを学びながらアイデンティティ

形成すると考える。

4 〈結論と今後の課題〉

　反対に考えると結局「移動」は子どもの「アイデンティティ」に影響を与える。アメリカで住んできた日本人の子どもと日本で育てられた日本人の性格が違うように環境的要因はその分「ことば」を通してアイデンティティを形成する。

5 〈参考文献〉

1)　川上郁雄（2011）『「移動する子どもたち」のことばの教育学』くろしお出版 pp. 3-45.
2)　川上郁雄編（2006）『「移動する子どもたち」と日本語教育—日本語を母語としない子どもへのことばの教育を考える』明石書店
3)　川上郁雄編（2009）『「移動する子どもたち」の考える力とリテラシー』明石書店

課題レポート⑫

複数言語環境で育った人の「壁」と「移動」と
「ことば」と「アイデンティティ」

C.S. ｜ 政治経済学部 4 年

1. 研究主題

　科学技術の発展に伴い、世界は大きく変化してきている。私が小学生の頃にはまだスマートフォンは出回っておらず、誰も持っていない状態だった。しかし、今では小学生までスマートフォンを持つようになり、私たちより使いこなしている子もいる。通信の発達やそれに伴う環境の変化によって、コミュニケーションの在り方が大きく変わった。また、昨今では LCC などの安価な航空会社が増えたため、富裕層のみならず、幅広い層が飛行機を移動手段の一つとして用いることができるようになり、国際的な人の移動が容易になった。東京の街を歩いていても、周りから多種多様な言語が聞こえてくる。まさにグローバル化の時代と言える。国境という括りを感じさせないく

らい、国境を越えての人の「移動」が盛んになり、コミュニケーションの取り方が多様化してきていることもあり、私たちは複数の「ことば」と共に生活をするようになった。複数言語環境で育つことは珍しいことではなくなり、多くの人が経験する環境となってきた。生き方の多様化などの利点がある一方で、複数言語環境で育ってきた人たちには特有の悩みや壁がある。これらの壁について、「移動」、「ことば」、「アイデンティティ」という3つの言葉の関係性に着目しながら、自分の経験を絡めて考えていきたい。

2. 問題意識

　複数言語環境で育ってきた人の人生を見ると、必然的に「移動」や「ことば」、「アイデンティティ」という言葉に遭遇する。インターナショナルスクールに通えば、日本に住んでいながらも学校での公用語は英語になる。日本の現地校に通っていても、日本人しかいない学校も勿論あるが、住む地域によっては外国人が多く通っているところもある。あるいは、帰国子女が多く在籍している学校であれば、日常的に英語やスペイン語など様々な言語が飛び交うこともある。このように、日本にいても複数言語環境で育つことは大いに容易なのである。しかし、今回は自分の海外在住経験をもとに、「移動」、「ことば」、「アイデンティティ」に関してや、それにともなう複数言語環境で育ってきた際の壁について書いていきたい。日本の複数言語環境と海外の複数言語環境では異なる点もあるとは思うため、海外での経験のみならず、日本帰国時の体験も織り交ぜて話していきたい。

3. 事例研究

　複数言語環境で育ってきた際の壁とは何なのか。そしてそれがどのように「移動」、「ことば」、「アイデンティティ」と結びついているのか。

　私は小学3年生から中学卒業まで、アメリカのニューヨーク州とニュージャージー州に住んでいた。渡米前は、日本の私立小学校に通っていて、周りに外国人はまったくおらず、日本人以外と接する機会がなかった。英会話教室には通っていたが、そこでの先生は日本人だったため、日本語以外の言語と接する機会はあったが、日本人以外と触れ合う機会は皆無だった。アメリカに行く前までは、外国人と言われてもイメージすらできなかったのでは

ないかと思う。そのときの私にとって、海外は遠い世界であり、日常ではない世界だったのだ。しかし、それは渡米後大きく変わった。アメリカで最初に住んだ場所はニューヨーク州のクイーンズというところで、そこには南米やアジア圏の国からの移民がたくさん住んでいた。最初の頃はその光景がそれまでの人生で見てきた光景と異なりすぎて、びっくりしたのを覚えている。小学校はアパートの隣にあった現地校に通っていたため、学校内に私以外の日本人が1人か、1人もいないような環境であった。渡米当初、母は英語が片言であったが、私はそれ以上に何も話せなかった。唯一言えたのは、"Hello." と "Can I go to the bathroom?" だった。学校には自分の話せる言語を理解できる人はいなく、逆に私は周りが話していることをまったく理解できなかった。その時点でもうすでにカルチャーショックだったのだが、学校での過ごし方や授業の進め方一つとっても、これほどまでに違うのかと感じていたのを今でも覚えている。カルチャーショックを受け、自分の殻に閉じこもるようになり、母曰く、そのときは家で母にもあまり話さなかったそうだ。ずっと日本語の本を読み漁っていた記憶は確かにある。しかしそのような期間は気づいたら終わっていて、4年生に上がり、クラスも先生も変わったところで、私は多くの友人を得た。担任の先生も私の英語力向上のために注力してくれた。友人や先生たちが自分を受け入れてくれたことが本当に嬉しく、また、自分が周りの発言や状況を理解できるようになったことで毎日が楽しくなった。

4. 考察

　自分自身が「移動」を経験したことで、新たな「ことば」に出合い、いろんな面において自分の中での世界が広がった。渡米前は日本人や日本語以外の人や物と接する機会がほとんどない状態で、いわゆる単数言語環境であった。渡米後に複数言語環境を経験し、それまでの普通や常識が覆されていった。それと共に、無意識のうちに自分自身が何なのかも見失いつつあった。アメリカに住んでいると、「アメリカ住みの日本人」という目で見られ、日本に帰ってくると、「アメリカ帰りの帰国子女」という扱いを受ける。皆がそれらの枠組みで自分を見ているという感覚はあったものの、アメリカにいる頃は特に気にすることはなかった。自分の「アイデンティティ」について

考えるようになったのは、日本に帰国してからである。早稲田にも、帰国子女と言えば、国際教養学部の子たちというようなイメージが存在するように、私の中高生時代にも似たようなイメージが存在していた。「やっぱりそういうところが帰国子女だよね」だとか、「帰国子女だからこういう道に進むと思っていた」というような、一種の偏見が当たり前のようにあった。もちろん、私は自分の「アイデンティティ」の一つとして、帰国子女というアイデンティティを持っている。しかし、それは自分のアイデンティティの一部に過ぎず、それ以上でもそれ以下でもないと思っている。アメリカの最初の小学校でクラスメートや先生が自分を受け入れてくれたとき、お互いの人種やバックグラウンドを気にすることなく、お互いを理解し合えたからこそ、嬉しくて楽しい日々だったのではないかと思う。カルチャーショックを乗り越えて、人との関わり方や自分への向き合い方に関する価値観が大きく変化したのではないかと思う。

5. 結論と今後の課題

　「移動」や「ことば」の流動により、「アイデンティティ」も多様化してきている。「アイデンティティ」は有数ではなく、無数にある。人それぞれ異なる。そしてその「アイデンティティ」を決めるのは自分なのだ。人が何と言おうとそれに惑わされないことが大事であるが、何よりもまずは自分自身が他人の「アイデンティティ」に口を出すようなことがないようにすることが重要であると感じる。「移動」や「ことば」の経験から他人の人生を憶測し、自分の頭にある枠組みに当てはめて話してしまうと、その人自身が自分の「アイデンティティ」に困惑してしまう場合があるからだ。「移動」や「ことば」は「アイデンティティ」の一部になり得るが、それがすべてではない。その他の特色や活動内容が自分の「アイデンティティ」になり得ることもある。実際に私もそうである。しかし、人それぞれある程度の偏見は持っているものであり、それに当てはめてどうしても考えたくなってしまう。だが、時代の変化にともなって、そのような価値観を個人のレベルから意識的に変えていくことによって、より住みやすい世界になるのではないかと信じている。

6. 参考文献

川上郁雄・尾関史・太田裕子（2014）『日本語で学ぶ／複言語で育つ——子どものことばを考えるワークブック』くろしお出版

5.10 担当教員の振り返り②

　夏クォーターの8回の授業と「レビューシート」、課題レポートを振り返ると、次のことがわかります。

①学生たちの反応

　ここで紹介した学生は12名でしたが、前述のように「複言語社会を知る2」の受講生は24名でした。春クォーターから引き続き受講している文学部や人間科学部の学生たちもいました。授業の主な内容は、社会と子どものことばの関係、子どもの日本語教育の教材、そしてライフストーリーでした。学生たちにとってのハイライトは、ゲスト・スピーカーの登壇だったかもしれません。これらの授業の中で、学生たちの反応が良かったのは、やはり、ライフストーリーでした。生身の人間の生き方がわかるストーリーから、移動する時代という社会的認識をより一層強く感じたことと思います。

②自分で考え、他の学生の意見を聞き、さらに考える

　夏クォーターの授業に入り、学生たちは、授業の進め方にも慣れ、安心して課題に取り組む姿勢が見えました。そこでは、自分で考え、そして他の学生の意見を聞き、さらに考えるというサイクルが生まれていました。この段階では、自分は「純ジャパ」だからとか、「帰国」（海外からの帰国生）あるいは「隠れ帰国」（海外からの帰国生だが、そのことを知られたくない人）だからという見方を脱し、社会状況やこれまでの自分の歩みを客観的に捉え、活発にグループ討議やクラスの意見交流を行っていたように見えます。

③やはり、テーマは移動とことばとアイデンティティ

　夏クォーターでも、収斂されるテーマは、移動とことばとアイデンティティでした。テキストにある素材がまさにそのテーマを考えるものだったと

いうこともありますが、それ以上に、学生たちの多様な背景や体験、考え方が、このテーマに収斂していったように感じます。課題レポートも、テキストの中の、あるいは学生自身のライフストーリーを考える内容でした。学生たちは授業で学んだことをもとに、自分の考えをまとめようとしたことが、レポートからも窺えます。

第 3 部

移動する時代に生きる私たちは、
複言語社会をどう生きるのか

6 ▶▶「21世紀型人材」と探究型アプローチの大学教育実践

　日本の大学教育は変革が必要であると以前より言われてきました。中央教育審議会が2018年に「答申」としてまとめた「2040年に向けた高等教育のグランドデザイン」（以下、「答申」）には、これからの大学教育の目指す方向性が示されています。

　「答申」では、今後求められる人材の資質や能力は、OECDのキー・コンピテンシー、21世紀型スキル、汎用的能力など、普遍的な力を有する「21世紀型人材」であると言われています。「21世紀型人材」とは、専門的知識だけではなく、「思考力、判断力、俯瞰力、表現力の基盤の上に、幅広い教養を身に付け、高い公共性・倫理性を保持しつつ、時代の変化に合わせて積極的に社会を支え、論理的思考力を持って社会を改善していく資質を有する人」（「答申」p. 4）と説明されます。

　そして、「21世紀型人材」が活躍する2040年の社会とは、「持続可能でインクルーシブな経済社会システムであるSociety 5.0（超スマート社会）」であり、「知識集約型社会」であると想定されています（「答申」p. 8）。

　では、そのような人材を大学で育成するにはどのようにしたら良いのでしょうか。「答申」は、大学の教育は「個々人の可能性を最大限に伸長する教育」への変換が必要として、授業づくりをする大学教員に対して、次のように具体的な提案を提示しています（以下、「答申」p. 6の要約）。

・「何を教えたか」から「何を学び、何を身に付けることができたのか」への転換
・個々の教員が教えたい内容ではなく、学生自らが学んで身に付けたことを社会に説明し納得が得られる体系的な内容になるように授業を構成することが必要
・学生や教員の時間と場所の制約を受けにくい教育研究環境のニーズに応えること

・生涯学び続ける力や主体性を涵養するために、少人数のアクティブ・ラーニングや情報通信技術（ICT）を活用した新しい方法論を導入すること

・個々人の学びのプロセスが可視化されること

　つまり、これからの大学は、学生の「主体的な学び」の質を高めるシステムを構築し、学生を中心に据えた高等教育機関へ転換することが必要だと、「答申」は述べています。

　また大学と社会との関係において、「社会発展や世界平和への貢献の基礎となる知見の集積や、個人の生活や内省につながる知的探求等は、本来、大学が担うべき重要な社会的な機能である」と述べています（「答申」p. 12）。

　本書で述べてきた授業実践には、この「答申」が提案する、これらの新しい大学教育の転換点がすべて含まれており、その意味で、新しい授業実践として位置付けられるかもしれません。

　では次に、学生の「主体的な学び」の質を高める教育実践とはどのような実践なのかについて、改めて考えてみたいと思います。

▶ アクティブ・ラーニングと探究型アプローチ

　文部科学省は新しい「学習指導要領」[26]の中で、小中高等学校等での授業の創意工夫や教材改善のために、①知識と技能、②思考力・判断力・表現力等、③学びに向かう力・人間性等の3つの柱からこれまでの授業を見直すことを提案しています。さらに学習の基盤となる資質・能力（言語能力、情報活用能力、問題発見・解決能力等）の育成のため、「主体的・対話的で深い学び」（アクティブ・ラーニング）と「習得・活用・探究」のバランスをとることを提案しています。

　また、この新しい「学習指導要領」の背景にある「確かな学力」の議論[27]では、「基礎的・基本的な知識・技能の育成（いわゆる習得型の教育）と自ら学び自ら考える力の育成（いわゆる探究型の教育）（中略）、この両方を総

26　文部科学省「平成29・30年改訂「学習指導要領」」

27　文部科学省「教育課程部会審議経過報告（抄）」

合的に育成することが必要」と述べられています。

　この探究型の教育とは、生徒が主体的に課題に関する情報を集め、整理分析をし、結論をまとめ発表するような活動を想定しています。国際的に活躍できるグローバル・リーダーの育成を目指す「スーパーグローバルハイスクール（SGH）」[28] の実践にも、探究型学習が取り入れられています（Shimojima & Arimoto, 2017）。

　もちろん、探究型学習が、生徒が調べて、まとめて、発表するというプレゼンテーションの技術を学ぶだけではなく、「自己とは何か」、「生きるとは何か」のような「根源的な問い」の領域について考えるような学習にならなければならないという批判（宮野、2018）もあります。そのような批判にも留意しつつ、探究型アプローチについて考えてみましょう。

▶ Inquiry based learning の思想と実践

　日本で言う探究型の教育は、海外では Inquiry based learning、または Inquiry based approach として、30 年以上前から議論され、実践されてきました。その背景には、教師中心の講義形式の教育実践から、学習者の主体的な問題意識を中心とする教育実践へのパラダイム転換があります。Inquiry とは、学習者が主体的に問題を発見し、その問題をめぐる調査・考察を行い、結果をまとめ発表する一連の活動を意味します。その活動に、学習者の学びがある、あるいは学びが生まれるという考え方です。

　このようなパラダイム転換は、すでに米国[29]、カナダ[30] やオーストラリア[31] ではカリキュラム全体を支える考え方として取り入れられています。これらの実践を推奨する教師用手引書（脚注 29, 30）から Inquiry based learning の考え方と実践のポイントをまとめると、以下のようになります。

28　文部科学省「スーパーグローバルハイスクールについて」

29　Blessinger, P. & Carfora, J. M. (Eds.) (2014)

30　カナダ・アルバータ州の教育省で発行された教師用ガイドブック（Alberta Learning, 2004）。

31　オーストラリア・クイーンズランド州の Lutheran Education Queensland の教師用ガイド。

〈Inquiry based learning の考え方のポイント〉

・学びのプロセスを重視する。
・興味や疑問が中心にある。それらは生徒によっても教師によっても生まれる。
・生徒の疑問や発想はどんなものでも対等に尊重される。
・生徒のこれまでの知識をもとに新たな学びを構築する。
・生徒の考えや疑問は、新たな知識や理解につながるものと考える。
・生徒は自分の体験や調査、話し合いを通じて自分の理解を深める。
・学びはクラス内やクラス外の他者とのやりとりなど、社会的な文脈の中で生まれる。
・理解は、一時的で、変化するものであり、繰り返し再考されるものである。
・省察、メタ認知、深く考えることが高く評価される。
・評価は過程であり、継続的なものと考える。
・学びは次の行動や新たな学びへつながると考える。

　これらの考え方は、アクション・リサーチや Design thinking（デザイン思考）[32] に通じるものです。ここで重要なのは、教師の姿勢です。
　教師は、

・教える人ではなく、ファシリテーターの立場をとる
・生徒の考えや疑問が学びの中心にあると考える
・教師からの問いはオープンエンドで、生徒が自由に考えられること
・クラスで共通テーマへ向かい理解を深める
・生徒の調査のやり方を尊重する
・生徒が学んだことを多様な方法で発表するように勧める

という姿勢が求められます。
　このような Inquiry based learning の考え方と教師の姿勢は、今では幼

32　デザインと思考方法が密接に関係しているという捉え方からデザインを通じて思考を深める教育方法を言う。

児教育から初中等教育、そして高等教育まで応用できるとされています。

　では、この Inquiry based learning の考え方と視点は、「日本語を学ぶ／複言語で育つ」子どもを考える本書の実践とどう関係するのでしょうか。この点を、さらに考えてみましょう。

▶「複言語で育つ子ども」を考える実践とは

　第2部で述べた本書の実践は、Inquiry based learning の実践と共通する点があります。たとえば、以下の点です。

- 本書の実践に使用された「テキスト」の問いや宿題は、「正解」がないオープンエンドの問いでした。これにより、学生が自分の意見を自由に考え、深めることができます。
- その自分の意見をクラスで発表したり、「レビューシート」に自由に書き込むこと、そしてその意見がクラスで受け入れられる「教室風土」がありました。
- これは言い換えれば、教師が「正解」を述べるのではなく、学生たちの意見や発想が「学びの中心」にあったということです。
- その学びには、「テキスト」に掲載された基礎的な知識・情報、また授業中でもパソコンや携帯端末で情報を集め、考えることができる「学びの環境」がありました。
- 問いや課題について、グループ討議をし、意見を交わすプロセスが毎時間用意されていました。これは、「協働的な学び」であり、自分の意見や考えをクラス内のコンテクスト、つまり、社会的な文脈で深め、新たな学びを構築する「主体的・対話的で深い学び」（アクティブ・ラーニング）であったと言えるでしょう。
- また、この学びのもととなったのは、学生自身の体験であり、クラスメートの体験でした。これは、後述するように、自らの体験と考えを結びつけ、社会認識を深め、更新していく活動であったということです。
- 学生は、教室内だけでなく、教室外でも自分の意見を「大学授業支援システム」を利用し、「レビューシート」に書き込み、自分の学びの

プロセスを可視化することができました。また、それを支える授業の構造として、クラス内で公開し、共有できる教育環境ができていました。

・自分で課題を設定し、調査・考察をして自分の意見をまとめる「課題レポート」が課せられていました。その際には、レポートの構造が示され、深い学びが生まれる仕掛けがありました。

これらの点から、本書の実践は、前述のように、教師中心の講義形式の教育実践から、学生の主体的な問題意識を中心とする教育実践が行われており、Inquiry based learning の実践であったと言えるでしょう。

▶ 体験から経験へ

Inquiry based learning は、構築主義的アプローチとも呼ばれています。なぜなら Inquiry based learning の実践は、学習者の主体的な疑問や問題設定を中心に据え、その調査や考察から結論を導くプロセスで、クラスメートやその他の人と交流を重ね、学習者自身が自らの学びをもとに新たな社会認識を構築する、あるいは再構築していく行為だからです。

本書の実践の場合、重要なのは、学生たちが自分の体験を語るという行為です。第2部で述べたように、学生たちは授業で提示される課題について自分の意見をまとめるときやクラスメートと話し合うときに、自分の体験をもとに考えたり、その体験を語ったりする場面がよく見られました。これは、自分の社会的認識を深めるために自分の過去の体験が有効に利用されるということを意味します。

特に、幼少期より複数言語環境で成長した学生の場合は、移動の体験や異なる言語に接触し戸惑ったり苦痛を感じたりする体験は、あくまで個人的な体験であり、家族を含め他者に語る意味のない体験と思い込み、自分の心の奥にしまっている場合があります。学生は、そのような個人的体験を、本書の実践で初めて、クラスで語るということになるのです。

他人の前で語られることがなかった個人的体験が、本書の実践の中で、語るべき意味のある体験であったと捉え直すことは、過去の体験を自分の人生に位置付けることになります。そのような意味で、本書では、過去の個人的

な「体験」が意味のあるものとして当事者の人生に位置付けられたことを「経験」と表記しました。

つまり、学生たちは、この授業を通じて、幼少期からの多様な「個人的な体験」を自分の人生において「意味のある経験」として認識したり、授業で学ぶ知識をもとに理論化したりするのです。その行為は、「個人的な体験」を、自分の考えや生き方を支えるものとして、そして現代社会を認識する貴重な確証として捉え直すことにもなるのです。それが、この授業の大きな「学び」を下支えしていたのではないでしょうか。

▶「日本語を学ぶ／複言語で育つ子ども」というフィールド

今述べたように、学生たちは、この授業で、自分たちの個人的な体験が学問的にも意味のある「考察対象」となることを理解します。ただし、学生たちがこの授業で気づくのは、それだけではありません。

授業で使用する「テキスト」にはさまざまな子どものエピソードが紹介されます。移動の中にある子どもたちの直面する課題を考えたり、最後の3人のライフストーリーを読んで議論をしたりする中で、クラスで議論する内容やテーマが、これまでにあった学問領域には現れなかった研究テーマであることに気づいていきます。さらに、クラスメートの「体験」や意見を聞き、自分の人生を振り返り、共に考え、課題レポートに取り組む活動を通じて、自分たちの体験したことや意見交流する内容が、「学問的な領域」になることを知るのです。

その新しい「学問的な領域」が、「日本語を学ぶ／複言語で育つ」子どもというフィールドです。この授業で、自分たちが議論し、考えたテーマが、21世紀の新しいフィールドになると気づくことは、自分たちの体験や議論を社会的な文脈に位置付けることになるのです。

▶「移動とことばとアイデンティティ」を考える実践

文化人類学者のジェームズ・クリフォードは、かつて「今、誰もが移動している。移動の中に暮らしている」と述べました（Clifford, 1997）。社会学者のアンソニー・エリオットとジョン・アーリは現代社会を「モバイル・ライブズ（mobile lives）」と捉えました（Elliott & Urry, 2010）。グローバリ

ゼーションと高度情報化社会で暮らす私たちは、「移動」（mobility）から逃れて生きていけません。

　本書の実践は、日本語教育学の副専攻科目として設置されていますので、学生たちは日本語教育に関心を持っていますが、この授業のテーマが「日本語を学ぶ／複言語で育つ」子どもにあるように、現代社会を読み解くとき、単言語の視点で社会を捉えることができないことを、学生たちは学んでいきます。さらに、複合的な現代社会で生きる子どもたちの姿に自分の体験やこれからの生き方を重ねるとき、アイデンティティというテーマに収斂するのは必然となるでしょう。

　「探究型学習（Inquiry based learning）」は、単なる「調べ学習」ではありません。学生たちは「日本語を学ぶ／複言語で育つ」子どもをめぐる「主体的・対話的な深い学び」をコース全体で積み上げていきます。そして、そのプロセスで自分の「体験」を「経験」として自らの人生に位置付けつつ「言語」「バイリンガル」「母語」「文化」「アイデンティティ」「移動」などこれまでの既成概念を解体し、新しい捉え方を自分のことばで語り始めます。それは、社会がすでに存在するのではなく、社会は間主観的な認識の中にあることを学ぶことを意味します。そのような意味の構築主義的な授業実践によって、学生たちはグローバル人材に必要な資質を体得していくのです。

　このように、これからの大学教育がグローバル人材の育成に力を注ぐ場合、「探究型学習（Inquiry based learning）」は必然のアプローチであり、日本語教育学を学ぶ学生たちの実践に「移動とことばとアイデンティティ」は不可欠のテーマとなるでしょう。

▶ 複言語社会を生きるために ── 「移動する子ども」という視点

　「移動する子ども」とは、私が作った分析概念です。幼少期より複数言語環境で成長した子どもは、三つの特徴があります。日本から他国へ、あるいは他国から日本や他国へ移動します（①空間の移動）。また家庭内の言語と学校で使用される言語が異なったり、父親と母親の使用言語が異なったりする環境で日常的に言語間を移動します（②言語間の移動）。さらに、異なる言語で教育を受けたり異なる言語で考えたりする体験をします（③言語教育カテゴリー間の移動）。この三つの特徴のある「移動」を体験しながら、そ

の概念の中心には、「記憶」と「経験」があります。

　たとえば、子どもは、移動にともなって異なる言語に触れたり、それらの言語を使用してコミュニケーションがうまくいったりいかなかったりする体験をします。それは時には「楽しい記憶」、また時には「苦しい記憶」として残りますが、あくまで自分一人の個人的な記憶とみなされがちです。それらの「記憶」を、本書の実践を通じて呼び起こし、それらと向き合うことによって、それらの「記憶」が自分の中で「意味のある経験」として捉え直され、その「意味のある経験」が、これから生きていくための考え方やアイデンティティ形成に影響していくのです。

　このような意味で、「移動する子ども」とは実在する子どもではなく、その本質は「記憶と経験」です。その経験の意味づけは、子どもの成長過程によっても変化し続けていきます。したがって、子どもは成長し、大学生となり、社会で活躍する社会人となり高齢者となっていくという、人生全体の中で、複言語で育った自らの「記憶と経験」と向き合いながら、それらの意味づけを更新していくのです。

　これは、「移動する」「移動しない」という二分法を超えていく活動です。留学経験や海外滞在の経験のない「純ジャパ」の学生にとっても、これからの複合的な共生社会を考えていく上で避けて通れない「主体的・対話的な深い学び」の活動なのです。つまり、本書の実践を通じてクラスメートらと議論し、考察し、自分の考えを深め、レポートを書くという力は、まさに、グローバル人材として社会を捉え、自らの生き方と社会のあり様の自己認識を常に更新していく力なのです。

　「日本語を学ぶ／複言語で育つ」子どもをめぐる本書の実践は、複言語社会を生きる力を育成する大学教育の一つの試みであり、「移動する子ども」という視点はその力を育成する重要な視点になるのです。

おわりに

　私は本書の原稿を昨年（2019年）オーストラリアに滞在中に書き上げました。本書の実践は2019年の春・夏クォーターの授業でしたが、その授業を終えた私は、同年9月より1年間の特別研究期間（いわゆるサバティカル）をとり、オーストラリアのクイーンズランド大学に2ヵ月滞在しました。私は日本からオーストラリアへ移動しましたが、本書に参加した学生の中にも、同時期にアメリカやカナダの大学へ留学したもの、あるいはニューヨークの大学へ戻ったものもいました。そのような「モバイル・ライブズ」の中、インターネット上で日本や日本国外にいる学生たちと連絡をとりながら、私は学生たちのコメントやレポートを整理し、原稿を書き上げました。

　ところが、2020年の新型コロナウイルスの拡大により、世界の大学は大きな影響を受けました。早稲田大学から海外の大学へ留学していた学生の多くは、急遽、学期途中で日本帰国を余儀なくされました。その後は、日本国内にいながら、留学先の大学の授業をインターネット上のオンラインで受講していたようです。私も一時帰国をした後は海外出張ができなくなりましたし、早稲田キャンパスも一時ロックアウトされました。そのように国境を越えた移動も国内移動も制限され、国内外の大学の授業がほとんどオンラインによる授業に切り替わっていきました。そして、新型コロナウイルスの終息が見通せない中、しばらくは、大学において対面授業が難しくなる状況が続くようです。

　しかし、たとえオンラインに頼る大学授業が今後増えるとしても、本書で検討したような「探究型アプローチ」による大学教育実践は欠かせないテーマとして続くと思います。

　ここで一つだけ、オーストラリアの小学校の実践を紹介します。昨年、私がオーストラリアの大学に滞在して本書の原稿を書いていたとき、ブリスベン市内の公立小学校を訪ね、日本語教育のクラスを見学する機会がありました。日本の6年生にあたるクラスで、子どもたちが紙やダンボール、中にはiPadなどを使って自分で創作した遊びやゲームを日本語でクラスメートに説明して一緒に遊ぶという活動をしていました。この日の授業はその一連

の授業の一コマで、偶然訪れた日本人の私に、ある男の子がダンボールで作った作品を見せてくれました。それは、高さ30cmくらいの箱に小さなバスケットボールのゴールがついていて、そこにバネでピンポン玉くらいのボールを飛ばして入れて競い合うゲームでした。その男の子は、私に物怖じせずにゲームのやり方を日本語で説明してくれました。スコアボードもついています。私は彼が説明してくれたルールにしたがってボールを飛ばし、得点をスコアボードに書き込んだりして、その男の子と楽しい時間を過ごしました。そのクラスでは、他の子どもたちもペアになり、自分の創作した作品を日本語を使って教え合い、楽しんでいました。案内してくださった副校長先生は、子どもたちが、自分でゲームや遊びを創作し、それを日本語で説明し、他の人と共有するという活動であることを説明してくださいました。したがって、このような日本語教育の実践は、Inquiry based learning を基本に据えた新しい言語教育であり、小学校全体のカリキュラムの考え方と合致する実践であると言われました。ここでこの実践の検証は省きますが、オーストラリアでは、「探究型学習」（Inquiry based learning）が初等教育から中等教育、高等教育まで広く実践されています。その中で、学習者が「主体的で対話的で深い学び」を体験しているのです。たとえ、新型コロナウイルスの流行が続いても、この教育方針は変わらないと思われます。

　最後に、本書の編集者から、この授業を受けた学生たちが本書を見てどう思うのか、その感想を聞いてみてはどうかという提案がありましたので、学生たちから寄せられた感想をそのまま転載します。

斎藤彩香　│　国際教養学部
　この授業を通して、私と同じように複言語の中で育つ子もかなりいることがわかりました。私は将来そういった、複言語の環境の中で生きる子どもの支援もしてみたいなと思いました。このような形でこの私にとって一番記憶に残った授業が本になるのは本当にうれしいです。

塚本実知子　│　教育学部
　川上先生が授業中に発信したもので私たち学生が思いを巡らせ、さらに私たち自身も世の中の人へ発信する機会をいただけたことを

大変ありがたく思います。また、短い大学生活でしたが、その中での学びをこのような記録として残すことができて嬉しいです。ありがとうございました。

真由 ｜ 国際教養学部

　正直自身の稚拙な文章でお役に立てるかわからなかったのですが、たくさんの方の助力のおかげで形になり結果的に勇気を出してよかったと思いました。

Y.T. ｜ 教育学部

　この授業は私の大学生生活の中でとても印象的な授業であり、自分自身の卒論のテーマにもしている「日本にいる言語マイノリティの子ども」について興味を持つ大きなきっかけとなった授業でした。そのような思い出深い授業、学びがこのような形で参加させて頂き、残るという点で、私の大学での学びの一つの「証」になるような気がして大変嬉しく思います。

N.N. ｜ 国際教養学部

　グローバル化が進み、移動する子どもはこれからも増え続けることと思います。私自身も移動する子どもであったため、少しでも移動する子どもたちが生きやすいと感じられる社会づくりに貢献できれば、という気持ちでこの本の企画に携わらせていただきました。今後も移動する子どもたちにとって生きやすい環境を作っていけるよう、私にできることは何なのか考え続けたいと思っています。

T.Y. ｜ 政治経済学部

　授業を通じて、自分の過去や経験を振り返りながら日本語を学ぶことについて知識を深めることが出来ましたし、他の学生のレポートやコメントを読み、一人一人全く異なる物事の見方があるということを改めて感じました。

A.I. ｜ 政治経済学部

　まさか自分の文章が本に掲載されることになるとは、1年前には予想もしていませんでした。しかしその結果、等身大の自分の考えが表せたと思っています。川上先生、並びに出版に関わってくださった方に最大限の感謝を述べたいです。ありがとうございました。

ある学生は、メールで次のような感想も寄せてくれました。

　　大学４年になり、秋学期もオンラインが続くようで、想像していたような大学最終年とはいかずどこか「私の大学生生活は何だったのだろう」とネガティヴに考えてしまっていた部分がありました。しかし、この本が出版されること、それに参加させて頂き、思い出深い学びが残るということが私自身にとっての大学での学びの一つの「証」になったような気がして大変嬉しく思います。

コロナ禍の中だからこそ、大学教育のあり方を探究し続けることが、私たち大学人にとって必要なことではないかと思います。

　このような社会状況の中でも、本書の意義を認めてくださり、出版を引き受けてくださった、くろしお出版の池上達昭さん、編集担当の坂本麻美さん、カバーデザインの仁井谷伴子さん、イラスト作成の坂木浩子さんに、心より感謝申し上げます。学生たちの文章には表記や形式のゆれなどが少し残っており、書籍として気になる点もあるかもしれませんが、早稲田大学で学ぶ学生たちの生の声や意見をできるだけそのままの形でストレートに表したいという私の意向で、本書のような形になりました。読者のみなさまにも、その趣旨をご理解いただけましたら幸いです。

　本授業が終わった後の私の「呼びかけ」に応じ、本書の企画に参加してくれた12名の学生たち、また彼らのほかに春・夏クォーターの本授業に参加し活発に議論していたすべての学生たち、そして最後の授業にゲストとして参加してくださったHanaさん、TAをやってくれた日本語教育研究科修士課程の院生、郭同さんにも、感謝を申し上げたいと思います。みなさまのご健康とご活躍を祈念しております。

2020年8月20日
猛暑の続く日本の夏の日に

川上郁雄

参考文献

岩﨑典子（2018）「「ハーフ」の学生の日本留学——言語ポートレートが示すアイデンティティ変容とライフストーリー」川上郁雄・三宅和子・岩﨑典子（編）『移動とことば』くろしお出版、pp. 16-38.

川上郁雄（2018）「「移動する子ども」からモバイル・ライブズを考える」川上郁雄・三宅和子・岩﨑典子（編）『移動とことば』くろしお出版、pp. 246-272.

川上郁雄編（2010）『私も「移動する子ども」だった——異なる言語の間で育った子どもたちのライフストーリー』くろしお出版.

川上郁雄編（2013）『「移動する子ども」という記憶と力——ことばとアイデンティティ』くろしお出版.

川上郁雄・尾関史・太田裕子（2014）『日本語を学ぶ／複言語で育つ——子どものことばのワークブック』くろしお出版.

川上郁雄・三宅和子・岩﨑典子（編）（2018）『移動とことば』くろしお出版.

縫部義憲（1999）『入国児童のための日本語教育』スリーエーネットワーク.

Alberta Learning (2004) *Focus on inquiry: A teacher's guide to implementing inquiry-based learning*, Learning and Teaching Resources Branch.

Blessinger, P., & Carfora, J. M. (Eds.)(2014) *Inquiry-based learning for faculty and institutional development: A conceptual and practical resource for educator.* Bingley England: Emerald.

Busch, B. (2012) The linguistic repertoire revisited. *Applied Linguistics, 33/5*, 503-523.

Clifford, J. (1997) *Routes: Travel and translation in the late twentieth century.* Cambridge, Mass: Harvard University Press. ［クリフォード，J.（2002）『ルーツ——20世紀後期の旅と翻訳』（毛利嘉孝・有元健・柴山麻妃・島村奈生子・福住廉・遠藤水城訳）月曜社］

Elliott, A., & Urry, J. (2010) *Mobile lives.* Oxen: Routledge.［エリオット，A.・アーリ，J.（2016）『モバイル・ライブズ——「移動」が社会を変える』（遠藤英樹監訳）ミネルヴァ書房］

Shimojima, Y., & Arimoto, M. (2017) Assessment for learning practices in Japan: Three steps forward, two steps back. *Assessment Matters, 11*.

ウェブ関連資料

国際移住機関（IOM）<https://www.iom.int>（2020年9月7日閲覧）

日本政府観光局 <https://www.jnto.go.jp/jpn/>（2020年9月7日閲覧）

法務省「平成30年における外国人入国者数及び日本人出国者数等について（速報値）」<http://www.moj.go.jp/nyuukokukanri/kouhou/nyuukokukanri04_00078.html>（2019年9月29日閲覧）

宮野公樹「【16歳からの大学論】「探求型学習」に逃げるな。」『大学ジャーナルオンライン』

2018 年 6 月 2 日号 <https://univ-journal.jp/column/201820998/>（2020 年 8 月
6 日閲覧）

文部科学省「教育課程部会審議経過報告（抄）」（確かな学力の育成）<http://www.mext.
go.jp/b_menu/shingi/chukyo/chukyo3/026/siryo/06042004/003/002.htm>
（2019 年 11 月 13 日閲覧）

文部科学省「スーパーグローバルハイスクールについて」<http://www.mext.go.jp/a_
menu/kokusai/sgh/>（2019 年 11 月 13 日閲覧）

文部科学省「平成 29・30 年改訂学習指導要領のくわしい内容」<http://www.mext.go.jp/
a_menu/shotou/new-cs/1383986.htm>（2019 年 11 月 13 日閲覧）

文部科学省「中央教育審議会「2040 年に向けた高等教育のグランドデザイン（答申）」（平成
30 年 11 月 26 日）<http://www.mext.go.jp/component/b_menu/shingi/toushin/
__icsFiles/afieldfile/2018/12/20/1411360_1_1_1.pdf>（2019 年 11 月 13 日閲覧）

早稲田大学留学センター「海外留学者数」<https://www.waseda.jp/inst/cie/center/
data>（2020 年 9 月 7 日閲覧）

Lutheran Education Queensland "Approaches to Learning Inquiry Based Learning"
<https://leq.lutheran.edu.au/lutheran-education-insider-insights/>（2019 年 11
月 13 日閲覧）

OECD-ILO-IOM-UNHCR "2019 International Migration and Displacement Trends
and Policies Report to the G20." <http://www.oecd.org/migration/mig/G20-
migration-and-displacement-trends-and-policies-report-2019.pdf#search=%27wo
rld+migration+report%27>（2019 年 9 月 29 日閲覧）

川上郁雄（かわかみ・いくお）

早稲田大学大学院日本語教育研究科教授。博士（文学、大阪大学）。
オーストラリア・クイーンズランド州教育省・日本語教育アドバイザー（国際交流基金派遣日本語教育専門家）、宮城教育大学教授等を経て、2002年より現職。専門は、日本語教育、文化人類学。
主編著に、『「移動する子どもたち」のことばの教育学』(2011、くろしお出版)、『移民の子どもたちの言語教育—オーストラリアの英語学校で学ぶ子どもたち』(2012、オセアニア出版社)、『JSLバンドスケール　小学校編—子どもの日本語の発達段階を把握し、ことばの実践を考えるために』(2020、明石書店)、『JSLバンドスケール中学・高校編—子どもの日本語の発達段階を把握し、ことばの実践を考えるために』(2020、明石書店)、『「移動する子どもたち」と日本語教育—日本語を母語としない子どもへのことばの教育を考える』(編著、2006、明石書店)、『「移動する子どもたち」の考える力とリテラシー—主体性の年少者日本語教育学』(編著、2009、明石書店)、『海の向こうの「移動する子どもたち」と日本語教育—動態性の年少者日本語教育学』(編著、2009、明石書店)、『私も「移動する子ども」だった—異なる言語の間で育った子どもたちのライフストーリー』(編著、2010、くろしお出版)、『「移動する子ども」という記憶と力—ことばとアイデンティティ』(編著、2013、くろしお出版)、『日本語を学ぶ／複言語で育つ—子どものことばを考えるワークブック』(共著、2014、くろしお出版)、『公共日本語教育学—社会をつくる日本語教育』(編著、2017、くろしお出版)、『移動とことば』(共編著、2018、くろしお出版)など。

探究型アプローチの大学教育実践
早大生が「複言語で育つ子ども」を考える授業

発　行	2020年11月12日　初版第1刷発行
著　者	川上郁雄
発行人	岡野秀夫
発行所	株式会社くろしお出版
	〒102-0084　東京都千代田区二番町4-3
	TEL: 03-6261-2867　FAX: 03-6261-2879
	URL: http://www.9640.jp　e-mail: kurosio@9640.jp
イラスト	坂木浩子（ぽるか）
装　丁	仁井谷伴子
印刷所	シナノ書籍印刷株式会社